影响孩子一生的

YING XIANG HAI ZI YI SHENG DE

300

个 经典 成语

GE JING DIAN CHENG YU

春卷

影响孩子一生的

YING XIANG HAI ZI YI SHENG DE

300

个经典成语

GE JING DIAN CHENG YU

春卷

YING XIANG HAI ZI YI SHENG DE 300 GE JING DIAN CHENG YU

影响孩子一生的

300个

经典成语

儿童彩图注音读物·经典成语启迪智慧

春卷

北京日报报业集团
同心出版社

前言

QianYan

春卷

中国的文化宝藏丰富而灿烂，而成语是汉语言文化中的瑰宝。成语是形式简洁而意思精辟的词组、熟语或短句。它一般由四个字组成。个别的也有三个字或多个字组成，其最大的特点是言简意赅、形象生动、具有高度概括力，在写作和说话中能起到一语道破和画龙点睛的作用。

成语是在很多方面广泛应用的文化用语，是历代文人在文化领域和劳动人民在生产、生活中经过不断地锤炼、提高，逐渐形成的一种精粹的语言工具。

每个成语的形成，一般都有出处或典故，或一个蕴涵哲理的故事，或者一段生动的历史史实，我们称其为成语故事。成语故事包含的内容极为丰富，它反映了政治、军事、文化、民间风尚、习俗、道德和理想……这些成语故事生动有趣，可读性强，便于记忆，且具有一定的哲理性和知识性。读后既可加深理解这个成语的意义；又可以知道其来源；还有助于了解其历史背景；对于提高写作能力、文化知识修养有一定的帮助。

为了丰富少年儿童的精神生活，开阔他们的视野，我社精心编辑出版了《影响孩子一生的 300 个经典成语》一书。该书一上市,便受到了少年儿童的欢迎和喜爱,成为全国少儿图书中的畅销书。如今,为了进一步满足少年儿童的需要,我们对《影响孩子一生的 300 个经典成语》重新进行整理和配图,校正了其中的不足之处,再版推出。

本书分为春卷、秋卷两册,从成语故事的海洋中精选出了 300 个成语故事。这些成语大多耳熟能详,通过阅读成语故事,少年朋友可以了解它们的出处、来源和历史背景,有助于掌握成语的用法,提高汉语水平和作文写作能力。

与旧版本相比,新版《影响孩子一生的 300 个经典成语》在编排思想上更加注重故事性、趣味性、知识性,其内容更加丰富;版式更加精美;并配有大量活泼、幽默,用漫画手法绘制的彩色插图。为了便于低年级同学的阅读和理解,本书的内文全部加注汉语拼音,从而使其成为真正意义上的经典。

愿本书能够成为少年朋友们最好的精神食粮,陪伴着你们茁壮成长。

目录

Mu Lu

書巻

14 一心一德

15 一毛不拔

16 一日千里

18 一见如故

19 一诺千金

20 一不做，二不休

22 一字千金

23 一丝不苟

24 一钱不值

25 一衣带水

26 一朝一夕

28 一丘之貉

30 一叶障目

32 一鸣惊人

33 一目十行

34 一鼓作气

36 一箭双雕

38 一窍不通

39 一去不返

40 七步之才

42 八仙过海，各显神通

44 入木三分

45 九死一生

46 九牛一毛

47 人死留名

人自为战 48

人杰地灵 50

人中之杰 52

口若悬河 53

口蜜腹剑 54

千变万化 56

千里鹅毛 57

千金一笑 58

小鸟依人 59

三生有幸 60

三顾茅庐 62

亡羊补牢 63

大公无私 64

不为五斗米折腰 66

不耻下问 67

不拘一格 68

不可救药 69

不寒而栗 70

专心致志 71

天女散花 72

天涯海角 74

天衣无缝 76

井底之蛙 77

见怪不怪 78

毛遂自荐 80

目录

Mu Lu

書 卷

82 月下老人

84 文质彬彬

85 风声鹤唳

86 风吹草动

88 为虎作伥

89 心旷神怡

90 水落石出

91 水滴石穿

92 四面楚歌

93 开卷有益

94 开天辟地

95 开诚布公

96 乐不思蜀

98 半途而废

99 外强中干

100 平易近人

102 业精于勤

103 扑朔迷离

104 东山再起

105 东施效颦

106 出奇制胜

108 出人头地

109 出污泥而不染

110 世外桃源

112 巧夺天工

叶公好龙　113

对牛弹琴　114

对症下药　115

打草惊蛇　116

杀鸡取卵　117

死灰复燃　118

有志竟成　120

有备无患　121

守株待兔　122

齐人攫金　123

负荆请罪　124

买椟还珠　126

江郎才尽　127

老马识途　128

名落孙山　130

自相矛盾　131

自以为是　132

后生可畏　133

百步穿杨　134

百闻不如一见　135

扣盘扪烛　136

争先恐后　137

讳疾忌医　138

危如累卵　140

因势利导　142

目录

Mu Lu

書卷

144 因地制宜
145 完璧归赵
146 防微杜渐
147 呆若木鸡
148 别开生面
149 别有天地
150 投笔从戎
151 投鼠忌器
152 杞人忧天
153 迎刃而解
154 志在四方
156 更上一层楼
157 弄巧成拙
158 过门不入
159 两败俱伤
160 两袖清风
161 言过其实
162 言听计从
163 呕心沥血
164 囫囵吞枣
165 身在曹营心在汉
166 身轻言微
168 快刀斩乱麻
170 近水楼台先得月
172 声名狼藉

拔苗助长　173
鸡鸣狗盗　174
连篇累牍　176
纸上谈兵　178
实事求是　180
扬扬得意　181
围魏救赵　182
画龙点睛　184
画蛇添足　186
邯郸学步　187
沧海桑田　188
刮目相看　190
杯弓蛇影　192
夜郎自大　194
刻舟求剑　195
鱼目混珠　196
贪小失大　198
图穷匕见　200
抛砖引玉　202
郑人买履　203
舍生取义　204
舍本逐末　206
金屋藏娇　208
金玉其外，败絮其中　210
门庭若市　212

影响孩子一生的
YING XIANG HAI ZI YI SHENG DE
300 个 **经典成语**
GE JING DIAN CHENG YU

yī xīn yī dé
一心一德

商朝最后一个君主纣王，是历史上有名的暴君。他残酷地剥削和压迫人民，过着奢侈腐化的生活。为了掠夺奴隶和财富，他还经常向周围小国发动侵略战争。

纣王的暴行，激起了全国人民的强烈愤恨。周武王借机起兵讨伐纣王。他联合了八个诸侯国的军队，向商朝的都城朝歌（今河南）进攻。出发前，在孟津举行誓师大会。武王的宣誓词叫做《秦誓》。

其中有这样的话："乃一心一德，立定厥功，惟克永世。"意思是说，愿我们一心一德共同努力，一定要把敌人消灭干净，让天下人民永享太平。

一毛不拔

战国时期的大思想家墨子，主张"兼爱"，反对战争。提倡生产劳动，反对腐化生活。

和墨子同时期的哲学家杨朱，反对其主张。他主张"贵生"、"重己"，也就是重视个人生命的保护。

有一次，墨子的学生禽滑厘问杨朱："如果拔你身上一根汗毛，使天下人得到好处，你干不干？"杨朱回答说："天下人的问题，决不是拔一根汗毛所能解决得了的！"禽滑厘又问："假使能的话，你愿意吗？"杨朱默不作答。

另一位大思想家孟子评论说："杨朱主张一切为自己，连拔下一根汗毛都不肯，这一毛不拔也太自私了；而墨子提倡只要对天下有利，一切事情都愿意做，哪怕磨秃头顶、走破脚跟，也心甘情愿，这是多么难得呀！"

影响孩子一生的 YING XIANG HAI ZI YI SHENG DE 300 个经典成语 GE JING DIAN CHENG YU 春卷

一日千里
yī rì qiān lǐ

欧阳修是我国宋代杰出的文学家。他在少年时期就养成了勤奋严谨的好学风,为学习文化知识打下了很好的基础。

欧阳修年轻的时候,洛阳镇守钱惟演在城里修了一座驿舍,特请本城文豪谢希深、尹师鲁和欧阳修,各写一篇记事文。三人各显其能,半日成文。大家围定一看,认为尹师鲁的文章洗练生动,叙事完备,写得最为出色。欧阳修自认不如尹师鲁写得好，当天晚上便向尹师鲁求教。尹师鲁对他说："您的文章虽然也写得很好，但尚嫌结构不够严谨，语言不够精练。"

欧阳修接受了这个意见，又一字一句仔细推敲，重写了一篇。尹师鲁看后，觉得一个字也不能更动，便感慨道："欧九真一日千里也！"

意思是说：欧阳修进步真快，实在像一日前进1000里一样啊！

后人就由此引出"一日千里"这个成语，用来形容人的进步或事物发展的速度很快。

影响孩子一生的
YING XIANG HAI ZI YI SHENG DE
300 个 经典成语
GE JING DIAN CHENG YU
春卷

一见如故

yī jiàn rú gù

成语

18

唐朝的开国功臣房玄龄从小机警聪慧，他曾悄悄地对父亲说："隋朝的皇上重用奉承拍马之辈，滥杀无辜，百姓怨声载道，隋朝灭亡指日可待了！"房玄龄的父亲吓得连连喝住他不要乱说。

房玄龄18岁中了进士。他听说唐王李世民巡行渭北，便策马赶来投奔。

李世民对房玄龄早有耳闻，两人一见面就像老朋友似的，谈得非常投机，因此在《新唐书·房玄龄传》中称他们是"一见如故"，大有相见恨晚之感。

后来，就把他们一见面如同老朋友的事，说成是"一见如故"，成语也就从此而成。

一诺千金

秦朝末年，在楚国有一个叫季布的人，性情耿直，为人侠义。他只要是答应过的事情，无论有多大困难，都设法办到，为此受到人们的赞扬。

刘邦当了皇帝后，封季布为河东太守。季布有一个同乡名叫曹邱生，专爱结交有权有势的官员，借以炫耀和抬高自己。季布很看不起他。曹邱生听说季布做了大官，就马上去见季布。

听说曹邱生来了，季布就拉长了脸，准备让他下不了台。哪知曹邱生一进厅堂，对季布又是鞠躬，又是作揖，并吹捧说："我听说楚地到处流传着'得黄金千两，不如得季布一诺'这样的话。我们既是同乡，我又到处宣扬你的好名声，你为什么不愿意见我呢？"曹邱生的这番话，说得季布改变了态度。便留下他，很有礼貌地当做贵宾招待；曹邱生临走时，还送给他一笔厚礼。后来，曹邱生替季布到处宣扬，季布的名声也就越来越大了。

影响孩子一生的 YING XIANG HAI ZI YI SHENG DE 300 个经典成语 GE JING DIAN CHENG YU 伟卷

一不做，二不休

yī bù zuò　èr bù xiū

张光晟原本是唐朝的高官。公元783年，一支军队在长安兵变。唐德宗仓皇逃往奉天。叛军推举太尉朱泚为帝。张光晟依附了朱泚，做了他手下的节度使。

朱泚自称大秦皇帝，领兵进逼奉天。张光晟当了他的副将。不料出师不利，包围奉天一个多月未能攻下，而四处援军纷纷赶来。朱泚、张光晟只能退回长安。

第二年，朱泚又改国号为汉，自称汉元天皇，封张光晟为宰相。这时，唐军大将李晟等迫近长安。张光晟见朱泚大势已去，便暗中派人

yǔ lǐ shèng qǔ dé lián xì　xī wàng guī xiáng cháo tíng　lǐ shèng biǎo shì huān yíng
与李晟取得联系，希望归降朝廷。李晟表示欢迎。

zhāng guāng shèng zuò nèi yìng　quàn zhū zǐ gǎn kuài lí kāi cháng ān　bìng qīn zì hù sòng tā
张光晟做内应，劝朱泚赶快离开长安，并亲自护送他

chū chéng　dài zhū zǐ táo yuǎn hòu　zhāng guāng shèng zài fǎn huí cháng ān　shuài lǐng cán bù xiàng lǐ
出城。待朱泚逃远后，张光晟再返回长安，率领残部向李

shèng tóu xiáng　lǐ shèng dā ying wèi tā qiú qíng　jiǎn miǎn tā pàn biàn tóu dí de zuì xíng
晟投降。李晟答应为他求情，减免他叛变投敌的罪行。

dàn shì　hòu lái dé zōng huáng dì què bān bù zhào shū　chǔ sǐ pàn fěi zhāng guāng shèng huáng
但是，后来德宗皇帝却颁布诏书，处死叛匪张光晟。皇

mìng nán wéi　lǐ shèng wú fǎ zài wèi zhāng guāng shèng shuō qíng　zhǐ hǎo zhí xíng
命难违，李晟无法再为张光晟说情，只好执行。

zhāng guāng shèng zài lín sǐ shí　bēi āi de shuō　bǎ wǒ de huà chuán gěi hòu shì de
张光晟在临死时，悲哀地说："把我的话传给后世的

rén　dì yī bù yào zuò　dì èr zuò le jiù bù yào bà xiū
人：第一不要做，第二做了就不要罢休！"

hòu rén jiù bǎ zhāng
后人就把张

guāng shèng de huà jiǎn chēng wéi
光晟的话简称为

yī bù zuò èr bù xiū
"一不做，二不休"。

影响孩子一生的

YING XIANG HAI ZI YI SHENG DE

300个经典成语

GE JING DIAN CHENG YU

春卷

yī zì qiān jīn
一字千金

秦王嬴政年幼继位，大商人出身的吕不韦做了秦国宰相。为了笼络人心、增强实力，吕不韦招募了3000门客，给他们很高的待遇，让他们把知道的事情都写出来。

于是，这些门客共同编写了长达20万字的《吕氏春秋》。

《吕氏春秋》内容涉及天地万物，包罗万象，通贯古今，确是一部巨著。因此，吕不韦很得意。他命人把书的原稿张贴在城门上，公开展览，并宣布："有谁能删去一字或添一字，立赏千金！"

慑于吕不韦的权势，谁也不敢去改动一个字。后来，这件事就演化成"一字千金"，成为成语和典故。

yī sī bù gǒu
一丝不苟

明朝的时候，皇帝下令禁止宰杀耕牛，连信奉回教的人也不例外。

一天，有位老者给汤知县送来了与其他几个信回教的人拼凑起来的50斤牛肉。汤知县一向贪赃受贿，而且也信奉回教，但是上面有禁令，一时也不知该不该收下这份礼。于是问张静斋："刚才有几个信奉回教的人为了开禁，送来50斤牛肉，请求我对他们稍微宽松些。你看是接受还是不接受？"

张静斋摇头道："这千万使不得。你我都是做官的人，心中应当只有皇上，哪里顾得上信奉同一教的人？"

张静斋又说道："世叔可以把那位老者抓起来，打他几十板子，再用一面大枷枷了，把送来的牛肉放在大枷上面，并且在旁边出一张告示，说明他们胆大妄为，知法犯法。如果上司知道你办事这样一丝不苟，那么你升官发财就指日可待了。"

汤知县听了，连连点头："十分有理。"便照此办理了。

影响孩子一生的 300 个经典成语 春卷 YING XIANG HAI ZI YI SHENG DE GE JING DIAN CHENG YU

yī qián bù zhí
一钱不值

西汉时，有位将军叫灌夫，为人刚正耿直，讲义气。

有一年夏天，丞相田蚡结婚，列侯宗室都前往祝贺，灌夫也去贺喜。酒宴上，酒喝到尽兴时，灌夫起身向主人敬酒。田蚡却以不能喝酒为由，拒绝了灌夫。

灌夫讨了个没趣，心中窝火，大为不快。然后按顺序轮到了临汝侯灌贤。可当走到他的面前要和他碰杯时，偏巧灌贤正凑在程不识耳边低声说话，没有理会他，又不离座。灌夫见状，说："你平日把程不识贬得一钱不值，现在向丞相贺喜，你反倒学妇人的样子咬耳朵，叽叽咕咕说个没完！……"

一衣带水
yī yī dài shuǐ

公元581年，隋文帝杨坚称帝，建立了隋朝。他有志于统一全国，便在北方实行了一系列富国强兵的政策，国力大增。而当时长江南岸的陈朝皇帝却荒淫无度，他认为隋文帝的军队是不可能突破长江天险的。

经过七年的准备，隋文帝在公元588年冬天下令伐陈。出发前，他对高颍说："我是天下老百姓的父母，难道能够因为一条像衣服带子一样狭窄的长江的阻隔，而不去拯救那里的老百姓吗？"

隋文帝志在必得，派晋王杨广为元帅，率领50万大军渡江南下，向陈朝的都城建康（南京）发动猛烈的进攻，并很快就攻下了建康，俘获了陈后主，灭掉了陈朝。从此，中国又重新成为了一个统一的国家。

隋文帝对高颍所说的话后来就逐渐演变简化成"一衣带水"这个成语了。

影响孩子一生的
YING XIANG HAI ZI YI SHENG DE
300 个 经典成语
GE JING DIAN CHENG YU
春卷

yī zhāo yī xī
一朝一夕

yáng zhū shì zhàn guó shí qī de zhé xué jiā　　yī cì　tā dào péng you jì liáng jiā qù
杨朱是战国时期的哲学家。一次，他到朋友季梁家去，

qià qiǎo jì liáng shēn tǐ bù shū fu　tǎng zài chuáng shang　　jì liáng de ér zi jiàn le yáng zhū
恰巧季梁身体不舒服，躺在床上。季梁的儿子见了杨朱

hòu　kū zhe shuō　　yáng bó bo　wǒ fù qin de bìng kàn shang qu hěn wēi xiǎn　nín kě fǒu bāng
后，哭着说："杨伯伯，我父亲的病看上去很危险，您可否帮

wǒ qǐng yī shēng lái wèi tā zhěn zhì yī xià
我请医生来为他诊治一下。"

yáng zhū ān wèi jì liáng de ér zi shuō　　xián zhí bié
杨朱安慰季梁的儿子说："贤侄别

jí　yī wǒ kàn　nǐ fù qin de bìng bìng bù yán zhòng　zhǐ
急。依我看，你父亲的病并不严重，只

yào hǎo hāo er tiáo lǐ　hěn kuài jiù huì quán yù de　　dàn
要好好儿调理，很快就会痊愈的。"但

shì jì liáng de ér zi bù
是季梁的儿子不

xìn　yī xià zi qǐng le
信，一下子请了

sān wèi yī shēng lái
三位医生来。

dì yī gè yī
第一个医

shēng shuō　　nín dé bìng
生说："您得病

de yuán yīn shì xū shí shī
的原因是虚实失

调，阴阳不和，平时饥饱不均造成的。只要吃几帖药，病就可以治好。"

季梁摇摇头说："你只是个普通医生，你走吧！"

第二个医生说："您的病是由于先天不足，而不是一朝一夕形成的。要用药治好你的病，恐怕很难。"

季梁赞许地说："你是一位良医。"

第三位医生说："您的病是由精神因素引起的，不用吃药，只要好好修身养性，就会好的。"

季梁赞许地说："你真是一位神医啊！"

原来，季梁的病确实因精神忧郁而起，经过精神调节，没过多久，他的病果然好了。

yī qiū zhī hé
一丘之貉

西汉宣帝时，当朝丞相杨恽，为人正直，经常直率地当面指出别人的缺点和错误，并敢于揭发贪赃枉法的行为，因此招来一些人的嫉恨。

一次，杨恽看到画着暴君桀、纣的古画，说道："如果皇帝看到此画，并从中吸取教训，那就可以避免亡国了。"

这话很快传到

皇帝的耳朵里。宣帝非常生气地责问杨恽为什么讽喻皇帝。杨恽说:"我没有讽刺您的意思,只是希望您能以史为鉴。"

宣帝说:"看在你以前有功劳,就饶你一命。你回乡为民吧!以后不许再胡言乱语。"就这样杨恽被革职还乡了。

过了几年,匈奴王被人杀死,杨恽写信给朋友说:"一个无能的君主不采纳良臣的忠言,最后落得这般下场。像秦二世胡亥,听信奸臣,杀害忠良,终于亡了国。唉!古代的帝王和今日的帝王就像是生长在一个土丘上的貉一样,都差不多啊!"

谁知这封信竟落到了与他有仇的太仆戴长乐的手中,呈给了皇帝。皇帝看后,大发雷霆,认为他妄自尊大,屡教不改。立即下令将杨恽处死。

影响孩子一生的 YING XIANG HAI ZI YI SHENG DE 300 个经典成语 GE JING DIAN CHENG YU 春卷

yī yè zhàng mù
一叶障目

cóng qián   chǔ dì yǒu gè shū dāi zi
从前，楚地有个书呆子。

yī tiān   tā zài shū shang kàn dào   rú guǒ dé
一天，他在书上看到："如果得

dào táng láng bǔ zhuō zhī liǎo shí yòng lái zhē shēn de nà
到螳螂捕捉知了时用来遮身的那

piàn yè zi   jiù kě yǐ bǎ zì jǐ shēn tǐ
片叶子，就可以把自己身体

yǐn bì qǐ lai   shéi yě kàn bu jiàn le
隐蔽起来，谁也看不见了。"

yú shì tā xiǎng   rú guǒ
于是他想："如果

wǒ néng dé dào nà piàn yè zi   gāi duō hǎo ya
我能得到那片叶子，该多好呀！"

zhōng yú yǒu yī tiān   tā kàn dào yī zhī táng
终于有一天，他看到一只螳

láng yǐn shēn zài yī piàn shù yè xià bǔ zhuō zhī liǎo   jiù
螂隐身在一片树叶下捕捉知了，就

měng yī xià pū shang qu zhāi xià nà piàn yè zi   yī bù xiǎo xīn
猛一下扑上去摘下那片叶子，一不小心，

nà piàn yè zi diào zài dì shang   yǔ mǎn dì de luò yè hùn zài
那片叶子掉在地上，与满地的落叶混在

le yī qǐ   tā suǒ xìng bǎ dì shang de yè zi quán bù dōu shōu
了一起。他索性把地上的叶子全部都收

qi lai   huí dào jiā li   tā jǔ qǐ yī piàn shù yè   wèn tā
起来。回到家里，他举起一片树叶，问他

de qī zi   nǐ néng kàn de jiàn wǒ ma   tā qī zi shuō
的妻子："你能看得见我吗？"他妻子说：

"看得见。"他一次次地问，妻子一次次地回答说看得见。到后来，他妻子厌烦了，随口答道："看不见啦！"

书呆子一听乐坏了。

他拿起树叶，来到街上，用树叶挡住自己，当着店主的面，伸手拿了店里的东西就走。店主把他抓住，送到官府去。县官问他是怎么回事，书呆子如实地说了事情的原委。县官不由哈哈大笑，把他放回了家。

一鸣惊人

战国中期，齐国国君齐威王不到30岁就继承了王位。

他一连三年，整天饮酒作乐，不理朝政。

大臣们虽然很着急，却又没有人敢当面向齐威王劝谏。

有个名叫淳于髡的大夫，知道齐威王爱听隐语，就进宫对齐威王说："有一只大鸟，栖息在大王的宫里已经三年了，可是它从没有飞过一次，也没有叫过一声，您知道这是为什么吗？"

齐威王知道淳于髡在暗喻自己，就笑着说："这可不是一只平凡的鸟！它不飞是不飞，一旦飞起来，就会直冲云霄；它不叫是不叫，一旦大叫一声，天下人都会大吃一惊。"

齐威王从此果然像换了一个人似的，不再沉湎于酒色，勤勤恳恳地治理起国家来。他采取一系列措施，发展生产，整顿军队，没用多长时间，便把齐国治理得国富民强。

从此，齐国又兴盛起来了。在齐威王执政的37年中，齐国一直是一个强国。

yī mù shí háng
一目十行

南北朝时期，梁武帝的三儿子萧纲天资聪颖，刚刚6岁就会写文章。大家都感到惊奇，连他的父亲也不相信。

有一天，梁武帝把萧纲叫到面前，出了一个题目，说："你就坐在我的面前写。我要亲眼看着你写文章！"

一会儿工夫，萧纲就写完了。梁武帝边读边赞叹说："好啊，语句流畅，辞藻甚美，写得好，写得好！"

萧纲长大以后，非常喜欢读书，而且看得极快。人们称赞他说，萧纲看书一目十行。而且，他看书过目不忘，还可以倒背如流哩。

影响孩子一生的 YING XIANG HAI ZI YI SHENG DE 300 个经典成语 GE JING DIAN CHENG YU ⋮ 春卷

成语

yī gǔ zuò qì
一鼓作气

chūn qiū shí qī yǒu yī cì qí guó jìn gōng lǔ guó lǔ guó guó jūn lǔ zhuānggōng
春秋时期，有一次，齐国进攻鲁国。鲁国国君鲁庄公

qīn zì dài bīng kàng jī qí jūn tā tīng shuō cáo guì shì gè yǒu móu lüè de rén yú shì qǐng
亲自带兵抗击齐军。他听说曹刿是个有谋略的人，于是请

tā lái cān zhàn
他来参战。

lǔ jūn zài chángsháo yǔ qí jūn zhǎn kāi le jué zhàn shuāng fāng bǎi hǎo zhèn shì qí jūn
鲁军在长勺与齐军展开了决战。双方摆好阵势，齐军

léi xiǎngzhàn gǔ fā dòng jìn gōng lǔ zhuāng gōng zhèng yào chū bīng yíng zhàn cáo guì zǔ zhǐ
擂响战鼓，发动进攻。鲁庄公正要出兵迎战。曹刿阻止

shuō shí jī wèi
说："时机未

dào bù néng jī
到，不能击

gǔ jìn bīng
鼓进兵。"

qí jūn jiàn lǔ
齐军见鲁

jūn méi yǒu shén me fǎn
军没有什么反

yìng kōng hǎn le yī
应，空喊了一

zhèn jiù píng jìng xia
阵，就平静下

lai guò le yī huì
来。过了一会

er qí jūn zài cì léi dòngzhàn gǔ cáo guì hái
儿，齐军再次擂动战鼓，曹刿还

shi bù xǔ lǔ jūn chū zhàn yī zhí děng dào qí
是不许鲁军出战。一直等到齐

军第三次擂过战鼓之后,曹刿才说:"现在可以擂鼓向齐军进兵!"

于是鲁庄公传下号令。顿时,鼓声大作,憋足了劲儿的士兵们好似下山的猛虎一般冲向齐军。齐军被打得七零八落,鲁军取得了胜利。

战后,鲁庄公问曹刿:"为什么要等到齐军擂完三通鼓后,才能出击呢?"

曹刿回答:"打仗最重要的是勇气。第一次擂鼓,士气最旺盛;第二次击鼓时,士气已经减退;当敲第三遍鼓时,士兵已经松懈下来。这时,我军第一次击鼓,士气正是最饱满的时候,因此一举打败了敌人。"

听了曹刿一番话后,鲁庄公竖起大拇指:"佩服!佩服啊!"

后人就根据这段历史故事,概括出了"一鼓作气"这个成语。

影响孩子一生的 300 个经典成语 YING XIANG HAI ZI YI SHENG DE GE JING DIAN CHENG YU 春卷

成语

36

yī jiàn shuāng diāo
一箭双雕

nán běi cháo shí　　běi zhōu míng jiàng zhǎng sūn shèng shì　zhù míng de shén shè shǒu
南北朝时，北周名将长孙晟是著名的神射手。

zhè nián　　běi zhōu huáng dì wèi le ān dìng běi fāng de shǎo shù mín zú tū jué rén　jué dìng
这年，北周皇帝为了安定北方的少数民族突厥人，决定

jiāng gōng zhǔ xià jià gěi tū jué wáng shè tú　　yú shì pài zhǎng sūn shèng　yǔ wén shén qìng hù sòng
将公主下嫁给突厥王摄图。于是派长孙晟、宇文神庆护送

gōng zhǔ qián wǎng tū jué wán hūn
公主前往突厥完婚。

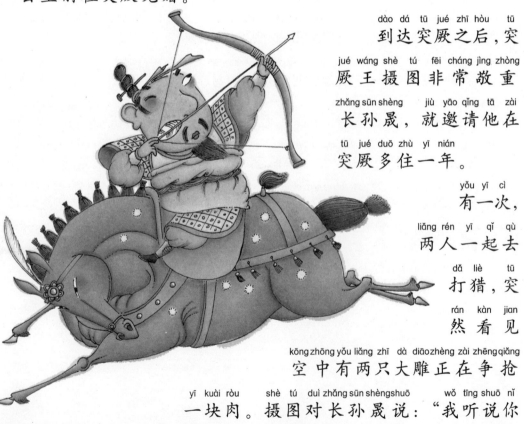

dào dá tū jué zhī hòu　tū
到达突厥之后，突

jué wáng shè tú　fēi cháng jìng zhòng
厥王摄图非常敬重

zhǎng sūn shèng　jiù yāo qǐng tā zài
长孙晟，就邀请他在

tū jué duō zhù yī nián
突厥多住一年。

yǒu yī cì
有一次，

liǎng rén yī qǐ qù
两人一起去

dǎ liè　tū
打猎，突

rán kàn jian
然看见

kōng zhōng yǒu liǎng zhī　dà diāo zhèng zài zhēng qiǎng
空中有两只大雕正在争抢

yī kuài ròu　　shè tú duì zhǎng sūn shèng shuō　　wǒ tīng shuō nǐ
一块肉。摄图对长孙晟说："我听说你

^{shì běi zhōu zuì yǒu míng de}
是北周最有名的

^{shén shè shǒu jīn tiān wǒ xiǎng jiàn shi yī xià nǐ néng}
神射手，今天我想见识一下。你能

^{bu néng bǎ zhè liǎng zhī diāo shè xia lai ne shuō}
不能把这两只雕射下来呢？"说

^{zhe jiù dì gěi tā liǎng zhī jiàn zhǎng sūn shèng shuō}
着，就递给他两支箭。长孙晟说：

^{yī zhī jiàn jiù gòu le}
"一支箭就够了！"

^{shuō zhe tā cuī mǎ shàng}
说着，他催马上

^{qián xuǎn hǎo le hé shì de jiǎo dù wān gōng dā}
前，选好了合适的角度，弯弓搭

^{jiàn zhǐ tīng sōu de yī shēng zhèng hǎo chuān tòu liǎng zhī diāo tóng}
箭，只听"嗖"的一声，正好穿透两只雕，同

^{shí yìng shēng luò dì}
时应声落地。

^{shè tú gǎn tàn dào tiān xià jìng yǒu rú cǐ jīng miào de jiàn fǎ}
摄图感叹道："天下竟有如此精妙的箭法！

^{yī jiàn shuāng diāo zhēn shì míng bù xū chuán de shén jiàn shǒu cóng cǐ}
一箭双雕！真是名不虚传的神箭手！"从此，

^{tā gèng jiā pèi fu zhǎng sūn shèng le}
他更加佩服长孙晟了。

成语

yī qiào bù tōng
一窍不通

shāng dài de zuì hòu yī gè huáng dì zhòuwáng shí fēn cán bào tā de shū fù bǐ gàn
商代的最后一个皇帝纣王,十分残暴。他的叔父比干

kàn dào tā chéng tiān hú zuò fēi wéi shí fēn tòng xīn duō cì quàn tā yào gǎi xié guī zhèng
看到他成天胡作非为,十分痛心,多次劝他要改邪归正。

yī cì bǐ gàn yī lián jǐ tiān quàn jiàn zhòuwáng yǐn qǐ tā jí dà bù mǎn zhòuwáng
一次,比干一连几天劝谏纣王,引起他极大不满。纣王

fèn nù de rǎng dào wǒ tīng shuōshèng rén de xīn yǒu qī qiào wǒ yào wā chū bǐ gàn de xīn
愤怒地嚷道:"我听说圣人的心有七窍。我要挖出比干的心

lái kàn ge jiū jìng jiù zhè yàng bǐ gàn
来看个究竟!"就这样,比干

bèi cán kù de shā hài le
被残酷地杀害了。

kǒng zǐ tīng le zhè jiàn shì hòu gǎn tàn
孔子听了这件事后,感叹

de shuō qí qiào tōng zé bǐ gàn bù sǐ
地说:"其窍通,则比干不死

yǐ yì si shì shuō zhòuwáng jiǎn zhí shì yī qiào bù
矣。"意思是说:纣王简直是一窍不

tōng de hú tu chóng rú guǒ tā yào hái yǒu yī qiào tōng
通的糊涂虫,如果他要还有一窍通

de huà yě néng duō shaodǒng diǎn er shì lǐ bǐ gàn
的话,也能多少懂点儿事理,比干

jiù bù zhì yú sǐ le
就不至于死了!

hòu lái rén men jiù bǎ qí qiào tōng zé bǐ gàn bù sǐ yǐ yǎn huà chéng yī qiào
后来,人们就把"其窍通,则比干不死矣"演化成"一窍

bù tōng zhè ge chéng yǔ
不通"这个成语。

yī qù bù fǎn
一去不返

战国末期，秦国打败赵国，迫临燕国。燕国太子丹十分着急，就请求勇士荆轲去刺杀秦王。

大家心中明白，这次行动凶多吉少。于是，太子丹和燕国的官吏都穿上白色的孝服，一直把荆轲送到易水河边。这时，荆轲的朋友高渐离击筑奏起乐来。荆轲则和着乐声唱起慷慨激昂悲壮的歌：

"风萧萧兮易水寒，壮士一去兮不复还！"

歌声悲壮感人，送行的人都潸然泪下，激动得挺起了胸，抬头望着。荆轲上车走了，一直没有回头。

最后荆轲果然刺杀未遂，死在秦国。他真的没有回来。

影响孩子一生的 YING XIANG HAI ZI YI SHENG DE 300 个经典成语 GE JING DIAN CHENG YU 春卷

qī bù zhī cái
七步之才

cáo cāo shì sān guó shí qī zhù
曹操是三国时期著

míng de zhèng zhì jiā　jūn shì jiā
名的政治家、军事家。

tā yǒu sì gè ér zi　lǎo dà
他有四个儿子，老大

jiào cáo pī　lǎo sān jiào cáo
叫曹丕，老三叫曹

zhí　cáo zhí zì yòu cōng
植。曹植自幼聪

yǐng zǎo huì　hěn yǒu cái
颖早慧，很有才

huá　shàncháng shī wén　yīn
华，擅长诗文，因

cǐ cáo cāo hěn xǐ huan tā
此曹操很喜欢他。

cáo cāo sǐ hòu　dà gē cáo pī jì chéng le wáng wèi　dài hàn chēng wèi dāng le huáng dì
曹操死后，大哥曹丕继承了王位，代汉称魏当了皇帝，

jiù shì wèi wén dì　cáo pī zǎo jiù jì dù cáo zhí de cái huá　yòu pà tā cuàn duó huáng
就是魏文帝。曹丕早就忌妒曹植的才华，又怕他篡夺皇

wèi　yīn cǐ　zǒngxiǎngzhǎo gè jiè kǒu shā diào dì di
位，因此，总想找个借口杀掉弟弟。

yǒu yī cì　tā zhǎo jiè kǒu diāo nàn cáo zhí shuō　dà jiā dōu shuō nǐ de shī xiě de
有一次，他找借口刁难曹植说："大家都说你的诗写得

hǎo　jīn tiān wǒ xiǎng kàn kan nǐ de cái huá zěn me yàng　wǒ yào nǐ zài qī bù zhī nèi zuò
好，今天我想看看你的才华怎么样。我要你在七步之内做

chū yī shǒu shī　rú ruò zuò bu chū lái　kě jiù shì qī jūn zhī zuì
出一首诗，如若做不出来，可就是欺君之罪！"

cáo zhí shāo wēi sī kǎo le yī huì er biàn mài kāi jiǎo bù zǒu yī bù yín yī jù
曹植稍微思考了一会儿，便迈开脚步，走一步吟一句：

zhǔ dòu rán dòu qí lù chǐ yǐ wéi zhī
煮豆燃豆萁，漉豉以为汁。

qí zài fǔ xià rán dòu zài fǔ zhōng qì
萁在釜下燃，豆在釜中泣。

běn shì tóng gēn shēng xiāng jiān hé tài jí
本是同根生，相煎何太急？

zhè shǒu shī de yì si shì yòng dòu jiē shāo huǒ bǎ dòu zi zhǔ le zuò chéng tāng
这首诗的意思是："用豆秸烧火把豆子煮了做成汤，

yā zhà dòu zi zuò chéng dòu zhī dòu jiē zài guō dǐ xia rán shāo dòu zi zài guō li kū qì
压榨豆子做成豆汁；豆秸在锅底下燃烧，豆子在锅里哭泣。

wǒ men běn lái dōu shì shēng zhǎng zài tóng yī tiáo gēn shang wèi shén me yào rú cǐ hěn xīn jiān
我们本来都是生长在同一条根上，为什么要如此狠心煎

zhǔ wǒ ne
煮我呢？"

zhè shì cáo zhí duì cáo pī chén tòng ér yán lì de
这是曹植对曹丕沉痛而严厉的

zé wèn shì chì zé shì pī píng shì tí xǐng yě shì
责问，是斥责，是批评，是提醒，也是

quàn gào cáo zhí yín wán zhèng hǎo shì qī bù
劝告。曹植吟完，正好是七步。

cáo pī tīng le zhè shǒu shī gǎn dào fēi cháng
曹丕听了这首诗，感到非常

cán kuì jiù bù zài shā cáo zhí le zhè jiàn shì
惭愧，就不再杀曹植了。这件事

hěn kuài jiù chuán kāi le rén men dōu chēng zàn cáo
很快就传开了。人们都称赞曹

zhí hòu lái jiù bǎ cáo pī xiàn cáo zhí qī bù yín
植，后来就把曹丕限曹植七步吟

shī de shì chēng wéi qī bù zhī cái
诗的事称为"七步之才"。

影响孩子一生的 YING XIANG HAI ZI YI SHENG DE 300 个 经典成语 GE JING DIAN CHENG YU 春卷

八仙过海，各显神通

成语

八仙过海的故事，是我国民间很有名的传说。八仙就是吕洞宾、铁拐李、韩湘子、蓝采和、张果老、汉钟离、曹国舅和何仙姑这七男一女。他们都是本领高超的神仙。一天，他们结伴同行，应西王母的邀请，去瑶池赴蟠桃盛会，哪知走到中途，被东海挡住了去路。这时，吕洞宾提议："各位同道，前面大海挡路，行路艰难。我们每个人都拿出一样法宝，丢入海中，渡过大海，到达对岸如何？"

诸位神仙一致同意。第一个站出来的是蓬头垢面、袒胸跛足的铁拐李。他的法宝是一根铁拐杖。将铁拐杖丢入海中，竟化作一叶龙舟，铁拐李站立在上面，很快就过了东海。

接下来的汉钟离神通广大，他紧随铁拐李之后，抛出了芭蕉扇。说也奇怪，那芭蕉扇在海中滴水不漏，平稳如一艘大船。汉钟离坐在当中也安全地渡过大海到达了对岸。

其余神仙也都不甘示弱，个个抛出了自己的法宝。吕洞宾的法宝是宝剑，吕洞宾骑着宝剑，犹如骑在一匹骏马之上；韩湘子的法宝是横笛；曹国舅的法宝是玉板；蓝采和的法宝是花篮；何仙姑的法宝是荷花。他们一个个神采飞扬地渡过了东海。最奇特的是张果老。他不慌不忙地取出一头纸驴，说声"变"，就变成了一只可爱的小白驴。张果老倒骑驴背之上，霎时就通过了浩浩荡荡的东海。

就这样，他们平安地到达了对岸，参加了西王母娘娘的蟠桃盛会。

入木三分

rù mù sān fēn

王羲之是我国历史上著名的书法家。他自幼就在父亲的指导下苦练书法，七岁时就能写出一手好字。

到青年时期，王羲之已经成为有名气的书法家了，但他仍然不停地苦练。走路、吃饭乃至睡觉都在揣摩各书法家的笔势，手指不停地划字影。经过不懈努力，王羲之终于创造出自己的书体。他的字写得更加优美、苍劲，糅和了百家之长，得千变万化之神。

有一次，皇帝让王羲之在一块木板上写上祝辞，命令雕刻工匠照着刻下来。工匠发现，他的字笔力道劲，已渗入木头三分深了，禁不住赞叹道："王羲之的字，入木三分啊！"

jiǔ sǐ yī shēng
九死一生

屈原是战国时期伟大的诗人、政治家和思想家。他出身于楚国的贵族家族，从小就有远大的抱负。长大后，屈原以非凡的才华得到了楚王的重用。他主张改革内政，推行一系列富国强兵的改革措施，受到了百姓的欢迎。但是这些措施触犯了腐朽的贵族集团的利益。他们在楚王面前挑拨离间。昏庸的楚王不辨是非，渐渐疏远了屈原，并最终免除了他的官职。

由于遭到政治迫害，屈原后来被流放到边远的汉北地区。在从楚国的国都郢城去汉北的途中，他怀着悲愤的心情写下了长诗《离骚》，表达自己热爱祖国坚贞不渝的思想感情。在这首长诗中，有这样两句："亦余心之所善兮，虽九死其犹未悔。"意思是说：这一切是我自己心甘情愿的，虽然九死无一生，但也未足悔恨。

后来，人们就把"虽九死其犹未悔"这句诗，简化为"九死一生"这个成语。

影响孩子一生的 YING XIANG HAI ZI YI SHENG DE 300 个经典成语 GE JING DIAN CHENG YU 春卷

九牛一毛

jiǔ niú yī máo

李陵是西汉时期的一名勇将。在一次同匈奴的战斗中，他寡不敌众、弹尽粮绝，最终被俘而降。

汉武帝听说李陵投降的消息后，非常震怒，下令将他的全家老小全部处斩。太史令司马迁向皇帝进谏说："李陵的功劳足以抵补他的战败之罪。他投降的本意并不一定是真的投降，而是要保存实力，等待有利时机报效国家。"司马迁的这番话再次触怒了皇帝。他因此受了宫刑。

受刑出狱之后，司马迁给知己好友写了一封长信，叙说了内心的痛苦和抱负，信中写道："假令仆伏法受诛，若九牛亡一毛，与蝼蚁何以异？"意思是说，"假如我就这样死了，不等于许多牛身上少了一根毫毛一样，同死了一只蚂蚁有什么区别呢？"

根据这段记载，后人就将"若九牛亡一毛"简化为"九牛一毛"这个成语。

成语

人死留名
rén sǐ liú míng

王彦章是五代时的著名将领。年轻时，他跟随梁太祖征战沙场，屡建奇功，深得太祖的赏识和器重。

梁末帝继位后，朝廷大权为奸臣把持，不重用王彦章，因而梁地连连失守。这时，末帝只得起用王彦章率军迎敌。王彦章带领精兵强将，只用三天就攻克了滑州、南州。可是梁军没有后援，王彦章终因势单力薄、寡不敌众而失利。末帝听信了奸臣的谗言，撤销了王彦章的兵权。

不久，唐军大举进攻，直趋梁朝重地兖州。末帝不得不重新起用王彦章，还把京城御林军给他。但由于御林军缺少训练，毫无作战能力，王彦章再次失利。他身负重伤，被唐军俘获。

唐庄宗劝降王彦章。王彦章凛然说："梁人常说：'豹死留皮，人死留名。'如果我屈膝投降，就要遭后人唾骂。我王彦章是顶天立地的大丈夫，决不苟且偷生！"不久，王彦章便被杀害了。但是他宁死不降的大名却留在了世间。

影响孩子一生的 300 个经典成语 春卷
YING XIANG HAI ZI YI SHENG DE GE JING DIAN CHENG YU

rén zì wéi zhàn
人自为战

在楚汉战争中，汉朝大将韩信率领数十万人马，前去攻打依附于项羽的赵国。

赵国的主将得知汉军来攻，在井陉集中20万大军抵御。

在出井陉口前，韩信先派2000骑兵隐蔽在小道上，观察赵军，准备行动。接着，他又派出1万人为先头部队，命令他们出了井陉口就背靠河水，摆开战斗的队列。

赵军远远望见，大笑不止："韩信是个大傻瓜，哪有背水陈兵，自绝后路的？"

天刚亮，韩信设置

起大将的旌旗和仪仗队，大模大样地开出井陉口。赵军立即打开营垒，向汉军发起猛烈地攻击。激战了一会儿，韩信假装落败，逃回河边阵营，从而麻痹了赵军。然后，汉军突然发起进攻，经过激烈地战斗，汉军取得了胜利。

战后有人问韩信："为什么让我们背水陈兵呢？"

韩信说："兵书上说：'驱市人而战之，其势非置之死地，使人自为战，今予之生地，皆走，宁尚可得而用之乎？'"

意思是说：陷之死地而后生，置之亡地而后存。在没有退路的情况下，必然要人人各自为战，发挥每个人的作用，努力进行战斗；假如有活路可走，稍有不利就可能逃走，那么大家就不会奋力拼搏，也就不会打胜仗。我们就是陷之死地而后生，人人各自为战，取得了胜利。

影响孩子一生的 YING XIANG HAI ZI YI SHENG DE 300 个经典成语 GE JING DIAN CHENG YU 春卷

成语

50

rén jié dì líng
人杰地灵

gōngyuán nián jiǔ yuè chū jiǔ chóngyáng jié hóngzhōu yán dū du zài xīn luò chéng de
公元675年九月初九重阳节，洪州阎都督在新落成的

téngwáng gé dà yàn bīn kè wáng bó zhèng hǎo lù guo zhè li yě yìng yāo cān jiā yīn wei
滕王阁大宴宾客。王勃正好路过这里，也应邀参加。因为

tā cái suì suǒ yǐ bèi ān pái zài bù xiǎn yǎn de wèi zhi shang
他才26岁，所以被安排在不显眼的位置上。

yán dū du ràng tā de nǚ xu yù xiān xiě hǎo
阎都督让他的女婿预先写好

yī piān xù wén yǐ biàn dāng zhòng xuàn yào jiǔ hān
一篇序文，以便当众炫耀。酒酣

zhī jì tā jiǎ yì yāo rén zuò wén dà jiā nǐ
之际，他假意邀人作文。大家你

tuī wǒ ràng méi yǒu rén gǎn dòng bǐ
推我让，没有人敢动笔。

zhǐ yǒu wáng bó
只有王勃

háo bù qiān ràng huī bǐ
毫不谦让，挥笔

xiě xià le téngwáng gé
写下了《滕王阁

序》一文。阎都督心里不高兴，觉得王勃不懂得礼让，吩咐侍从将王勃写的句子抄给他看。开始几句，他认为很平常，不过如此。但接下来看到"物华天宝，龙光射牛斗之墟；人杰地灵，徐孺下陈蕃之榻。"这几句时，不禁大吃一惊。

原来，王勃在这里用了两个典故。前一个典故是说，物有精华，天有珍宝，光芒直射天上的星宿，意思是洪州有奇宝。后一个典故是说，东汉时南昌人徐孺家贫而不愿当官，但与太守陈蕃是好朋友。陈蕃特地设一只榻，专供接待徐孺之用。意思是洪州有杰出的人才。

阎都督看完这篇文章，连连称赞，对王勃说："你真是当今的奇才呀！"

于是重新就座，阎都督把王勃奉为上宾，并亲自陪坐。

后来，文章中的"人杰地灵"就被引申为成语了。

影响孩子一生的 YING XIANG HAI ZI YI SHENG DE 300 个经典成语 GE JING DIAN CHENG YU 春卷

人中之杰

rén zhōng zhī jié

晋代宋纤是一位品学俱佳的文士。他清高廉洁，洁身自好。当地太守马岌仰慕他的人品，特地寻访到他的住处，想请他出来做官。宋纤猜到马岌的来意，吩咐童儿关门，拒不相见。

马岌吃了个闭门羹，心中有点儿不高兴。但冷静思考，觉得一个人能不为高官厚禄所动，清贫自守，不禁又产生了敬佩之心。便对随从说："宋纤的行为德性总让人想着去效仿，但是在名利官场上却绝对见不着他的踪影。宋先生可真称得上是人中之龙啊！"从此，宋纤的名声就更大了。

人们后来把"人中之龙"演化成为"人中之杰"了。

口若悬河

kǒu ruò xuán hé

晋朝有一位知识渊博的大学问家，名叫郭象。他年纪还小的时候，就展现出很高的才华，十几岁的时候，不但已经读完《老子》、《庄子》等古书，而且还能一口气背诵出来。

郭象的名声愈来愈大，朝廷派人请他做官。他推辞不掉只好答应，于是就当上了黄门侍郎。因为他平时读了许多书，知识非常丰富，而且他喜欢应用在日常生活中的细节里，所以提出的见解往往比别人深刻，而且能够将各种道理说得很清楚，因此他受到许多人的推崇。

郭象口才很好，讲起话来滔滔不绝、有声有色，大家都听得很入神。当时，有个太尉叫王衍，非常欣赏郭象的学识和口才。他常常赞扬郭象说："听郭象谈话，就好像看到瀑布流泻下来的水，滔滔不绝，好像永远没有枯竭的时候。"

后来，人们就根据王衍说的这段话，总结出"口若悬河"这个成语。

影响孩子一生的 YING XIANG HAI ZI YI SHENG DE 300 个经典成语 GE JING DIAN CHENG YU 春卷

口蜜腹剑

kǒu mì fù jiàn

唐玄宗的兵部尚书李林甫，位高权重。此人知识渊博，能书善画，但为人阴险奸诈，妒贤嫉能，总是想方设法排斥、打击比他有才能、声望比他高的人。

对待玄宗，李林甫则一味地阿谀奉承、竭力迁就，并采取种种手段巴结讨好皇帝宠信的妃子和宦官，博取他们的欢心和支持。

与人交往时，李林甫总是表现出一副和蔼可亲的样子，嘴里说的都是好听的话，心里却琢磨着如何害人。有一次，他假装诚恳地告诉同

僚李适之说:"华山附近有金矿,开采出来国家就富裕了!"

李适之赶忙把这件事报告了唐玄宗,建议玄宗开采华山矿藏。玄宗就问李林甫有没有听说此事,李林甫回答说:"臣早就知道这事,但华山是陛下的根基、王气所在,怎么能开采呢?别人劝您开采,恐怕是不怀好意!"听了这番话,玄宗就斥责李适之处事轻率,逐渐疏远了他。

李林甫善于玩弄权术,排挤了许多忠臣良将,百姓便在背地里说他"口有蜜,腹有剑"。后来人们就把这句话简化成"口蜜腹剑"这个成语了。

千变万化
qiān biàn wàn huà

相传在西周的时候，有一位能工巧匠，名叫偃师。有一次，他越过昆仑山时遇到了周穆王姬满。周穆王问他："你到底有什么技能呢？"

偃师回答："我刚刚制造出一些假人来，如果您有兴趣，我可以把它们献给您。"周穆王说："好啊！"

第二天，偃师就带着他制作的一些假人来参见周穆王。在偃师的操纵下，这些假人唱歌跳舞，甚至连脸上的表情也很丰富。周穆王把宫女们叫过来一同观看。大家看着这"千变万化，惟意所适"的情景，赞叹不已。

后人根据这个故事，便把"千变万化"用为成语。

千里鹅毛

东汉时，有一个地方官，偶然得到了一只天鹅，决定将这稀有之物献给皇帝，于是他选派了一个名叫缅伯高的人，进京去向皇帝进贡。

缅伯高抱着天鹅，走了很久。一天，走到沔阳湖边，他看到湖水碧蓝而清澈，便觉得应该给天鹅洗个澡，干干净净地献给皇上。哪想到，刚刚将天鹅放入水中，它却呼啦地振翅高飞了，只掉下了一根鹅毛。

缅伯高吓呆了。他不知该如何交代，想来想去，只好拿着这唯一的鹅毛去见皇帝。他害怕皇帝处罚自己，就编了一段顺口溜："我来向您朝贡，经过万水千山，到了沔阳湖时，天鹅飞走了。我悲痛欲绝。今天上复皇上，请您饶恕缅伯高。千里送鹅毛，礼轻情意重。"

皇帝听了以后，觉得他忠心赤诚一片，不远千里而来，吃尽苦头，又如此老实厚道说实话，便饶恕了缅伯高。

此后，这件事传为佳话，就成了"千里鹅毛"的成语。

影响孩子一生的 YING XIANG HAI ZI YI SHENG DE 300 个经典成语 GE JING DIAN CHENG YU 春卷

成语

qiān jīn yī xiào
千金一笑

　　周朝的周幽王是个腐败的君主。他的妃子褒姒非常美丽，但却从来不笑。为此，周幽王说："谁让娘娘笑一笑，就赏他千两黄金"。于是，有人献计："在长城的烽火台放起狼烟，各路诸侯必然而至，至则无寇，乘兴而来，败兴而归，娘娘必会开颜一笑。"幽王依计而行。临近的诸侯看到烽火，以为敌人来犯，便赶来救援，但见灯火辉煌，鼓乐喧天，才知是皇帝为了取悦于娘娘而做的荒唐事。各路诸侯只好收兵回营。褒姒见状，果然淡然一笑。幽王于是赏了那献计的人千金。后来，敌兵来犯，幽王再举烽火，各诸侯以为是闹着玩，便不再听从召唤。结果周朝的都城被攻下，周幽王被杀，西周就这样灭亡了。

小鸟依人
xiǎo niǎo yī rén

唐朝初年，唐太宗任命褚遂良为谏议大夫，记载自己的言行和起居。有一次唐太宗对司徒长孙无忌说："你们经常评论我的功过得失。今天我也要评一评你们的长处与短处。"

他先评价长孙无忌，说他注意避嫌，才思敏捷，但是带兵打仗不行。又评价了高士廉，说他遇到危难不变节，平日做官不结党营私，但不敢直言谏议。最后谈到褚遂良，说："遂良的学问大有长进，性格也很刚正，对朝廷坚贞不渝，对我很有感情，平日里一副飞鸟依人的模样，由不得我不怜爱他呀。"

后人把唐太宗说的"飞鸟依人"一语逐渐演化成了成语"小鸟依人"。

影响孩子一生的
YING XIANG HAI ZI YI SHENG DE
300 个 经典成语
GE JING DIAN CHENG YU
春卷

sān shēng yǒu xìng

三生有幸

chuánshuō táng cháo yǒu gè yuán zé hé shang jīng tōng fó fǎ tā yǒu yī gè hěn yào hǎo de péng you míng jiào lǐ yuán

传说，唐朝有个圆泽和尚精通佛法。他有一个很要好的朋友，名叫李源。

yǒu yī tiān liǎng rén yī tóng qù yóu lǎn chángjiāng sān xiá tú zhōng kàn dào yī wèi dǎ shuǐ de yùn fù yuán zé shuō zhè fù rén yǐ jīng huái yùn sān nián le zhèngděng zhe wǒ qù tóu tāi zuò tā de ér zi kě shì wǒ què yī zhí táo bì zhe xiàn zài jì rán kàn jian le jiù méi fǎ zài táo bì sān tiān hòu zhè wèi fù rén gāi shēng xià gè hái zi qǐng nǐ dào tā jiā qù kàn kan rú guǒ nà yīng ér duì nǐ xiào yī xiào nà biàn shì wǒ nián hòu de zhōng qiū jié zhī yè wǒ zài hángzhōu tiān zhú sì de sān shēng shí shangděng nǐ nà shí wǒ men zài xiāng huì ba

有一天，两人一同去游览长江三峡。途中，看到一位打水的孕妇。圆泽说：“这妇人已经怀孕三年了，正等着我去投胎做她的儿子，可是我却一直逃避着。现在既然看见了，就没法再逃避。三天后，这位妇人该生下个孩子，请你到她家去看看，如果那婴儿对你笑一笑，那便是我。12年后的中秋节之夜，我在杭州天竺寺的三生石上等你，那时我们再相会吧！”

jiù zài zhè tiān yè li yuán zé qù shì le dì sān tiān lǐ yuán lái dào nà wèi fù rén jiā li tàn wàng dé zhī fù rén shēng le yī gè nán hái er yīng ér guǒ rán duì tā xiào le xiào

就在这天夜里，圆泽去世了。第三天，李源来到那位妇人家里探望，得知妇人生了一个男孩儿，婴儿果然对他笑了笑。

nián hòu zài zhōng qiū jié de wǎnshang lǐ yuán rú qī lái dào tiān zhú sì gāng dào sì mén kǒu jiù kàn dào yī gè mù tóng zài niú bèi shangchàng gē

12年后，在中秋节的晚上，李源如期来到天竺寺，刚到寺门口，就看到一个牧童在牛背上唱歌：

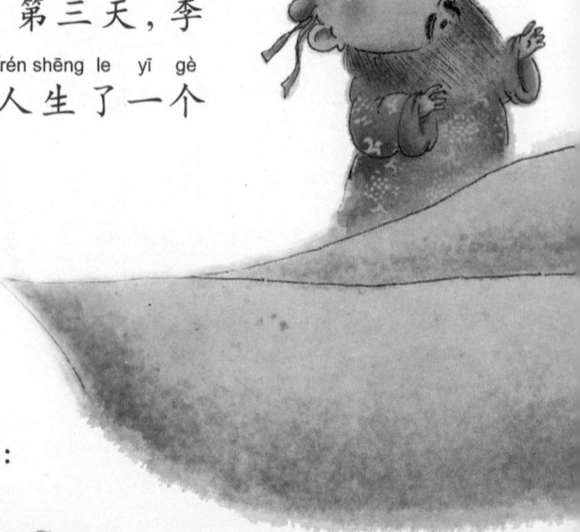

sān shēng shí shang jiù jīng hún　shǎng yuè yín fēng bù yào lùn
三生石上旧精魂，赏月吟风不要论。

cán kuì qíng rén yuǎn xiāng fǎng　cǐ shēn suī yì xìng cháng cún
惭愧情人远相访，此身虽异性常存。

zhè shǒu gē yáo de yì si shì　zài sān shēng shí shang hé nǐ xiāng jiàn de　réng rán shì jiù
这首歌谣的意思是：在三生石上和你相见的，仍然是旧

shí de wǒ ya　wǒ qīng chu de jì de wǒ men guò qù yī qǐ shǎng yuè yín shī de qíng jǐng　gǎn
时的我呀！我清楚地记得我们过去一起赏月吟诗的情景，感

xiè nǐ cóng yuǎn dì gǎn lái tàn wàng wǒ　nǐ duì wǒ de zhè fèn qíng yì　shí zài lìng wǒ gǎn
谢你从远地赶来探望我。你对我的这份情谊，实在令我感

dòng　suī rán wǒ de miàn mào hé wǎng rì yǐ bù xiāng tóng
动。虽然我的面貌和往日已不相同，

dàn wǒ duì nǐ de qíng yì què shì yǒng héng bù biàn
但我对你的情谊却是永恒不变

de　nà mù tóng chàng wán gē　biàn
的。那牧童唱完歌，便

lí qù le
离去了。

影响孩子一生的
YING XIANG HAI ZI YI SHENG DE
300
个 经典成语
GE JING DIAN CHENG YU
春卷

成语

sān gù máo lú
三顾茅庐

东汉末年，刘备投奔刘表，失意一时。为了成就大业，他到处访求贤才。司马徽和徐庶都向刘备推荐诸葛亮，说此人是一位杰出的人才。刘备便与关羽、张飞带着礼物专程到隆中去拜访。

他们先后去了三次，头两次诸葛亮避而不见，第三次才在茅庐中接待了刘备。诸葛亮深为刘备"三顾茅庐"的诚意所打动，便答应了刘备出山的请求。

此后，诸葛亮成为刘备的得力助手，帮助刘备东联孙吴，北伐曹魏，占据荆州、益州两地，建立蜀汉政权，形成与东吴、曹魏三国鼎立的局面。

诸葛亮在临终之前，给后主刘禅（刘备的儿子阿斗）上的一道奏表中写道：

"先帝不嫌臣卑微鄙陋，屈尊枉驾，前后三次亲自登门，访臣于草庐之中……"流露出对刘备知遇之恩的深切怀念，感情真挚动人。

wángyáng bǔ láo
亡羊补牢

有一个牧羊人，养了许多羊。有一天早晨，他发现少了一只羊。原来羊圈破了一个大窟窿，半夜里一只狼从窟窿进入羊圈，叼走了羊。左右邻居们都劝他赶快把窟窿堵上，可是牧羊人却回答："羊已经被狼叼走了，还堵窟窿有什么用呢？"因此，他根本没有修理羊圈。

第二天早晨，牧羊人发现又少了一只羊。原来那只狼夜里又来叼走了一只羊。他赶紧修好羊圈，堵上窟窿。从此以后，再也没有丢失过羊。

因此人们常说，"亡羊补牢，还不算晚啊！"

dà gōng wú sī
大公无私

chūn qiū shí qī　　jìn guó de nán yáng
春秋时期,晋国的南阳

xiàn quē shǎo yī gè xiàn lìng　jìn wáng wèn dà
县缺少一个县令。晋王问大

fū qí huángyáng shéi néng shèng rèn zhè yī zhí
夫祁黄羊,谁能胜任这一职

wù　　qí huángyáng jǔ jiàn le xiè hú　　jìn
务。祁黄羊举荐了解狐。晋

wáng hěn chī jīng　wèn dào　　xiè hú bù
王很吃惊,问道:"解狐不

shì nǐ de chóu rén ma
是你的仇人吗?"

qí huángyáng shuō　bù cuò　dàn
祁黄羊说:"不错,但

nín wèn de shì shéi kě yǐ dān rèn zhè
您问的是谁可以担任这

yī zhí wù　bìng wèi wèn wǒ de chóu rén
一职务,并未问我的仇人

shì shéi a
是谁啊。"

yú shì jìn wáng jiù rèn mìng xiè hú wéi nán yáng xiàn lìng　　guǒ rán　　xiè hú zhèng
于是晋王就任命解狐为南阳县令。果然,解狐政

jì tū chū　　wéi bǎi xìng suǒ ài dài
绩突出,为百姓所爱戴。

hòu lái　　jìn wáng yòu qǐng qí huángyáng tuī jiàn yī míng jūn zhōng wèi　　qí huángyáng
后来,晋王又请祁黄羊推荐一名军中尉。祁黄羊

shuō qí wǔ kě yǐ shèng rèn　　jìn wáng wèn dào　　qí wǔ shì nǐ de ér zi ya　　nǐ
说祁午可以胜任。晋王问道:"祁午是你的儿子呀,你

推荐他不怕别人说闲话吗？"

祁黄羊坦然回答："您让我推荐一位军中尉，并没有规定这人是谁啊。"

祁午果然没有辜负祁黄羊的期望，干得非常出色。

孔子听了这两件事后，感慨地说："祁黄羊之论也！外举不避仇，内举不避亲，祁黄羊可谓公矣。"

意思是说，祁黄羊推荐人才，对外不排斥仇人，对内不回避自己的亲人，真是大公无私呀！

bù wèi wǔ dǒu mǐ zhé yāo
不为五斗米折腰

陶渊明又名陶潜，是我国晋代的著名诗人。他才学渊博，为人性情高雅，淡泊名利，因此一直到了30岁，才经别人推荐做了几任小官。

这年秋天，陶渊明来当彭泽县令。冬天，郡太守派了督邮来督察。督邮是个粗俗傲慢的人，无知无识，架子却很大。他一到驿馆，就派人叫县令来见他。

陶渊明平时就很蔑视权贵，从不肯趋炎附势，很瞧不起这种假借上司名义发号施令的人，但又不得不去应付。他刚要动身，县吏说："大人，参见督邮要穿官服，并且还要束上腰带，不然有失规矩。如果督邮乘机大做文章，对大人不利啊！"

陶渊明长叹一声："我怎能为这五斗米的俸禄而向乡里小人折腰！"说罢，就封好官印，马上写下一封辞官信，然后昂然出衙而去。屈指算来，陶渊明只当了80多天的县令。

成语

bù chǐ xià wèn
不耻下问

春秋时候，卫国有个大夫叫孔圉，虚心好学，为人正直。他死后，卫国国君要表彰他这种虚心求教的精神，按照古代的谥法，授予他一个与此相应的谥号为"文"。

孔子的学生子贡认为孔圉也有错误，不值得这样去赞扬，于是问老师："孔文子为什么就能称之为'文'呢？"

孔子回答道："敏而好学，不耻下问，是以谓之'文'也。"意思是说，聪敏而又能虚心学习，不以向职位比自己低、学问比自己差的人求教为耻辱，这样的人，都可以给予文的谥号。

根据孔子说的这句话，后人便引出了"不耻下问"这个成语。

bù jū yī gé
不拘一格

清代的龚自珍是我国著名的思想家和文学家。他从小勤奋好学，20岁就成了当时著名的诗人。他的诗文语言浪漫瑰丽，洋溢着爱国热情。

龚自珍在朝廷为官20多年，看透了统治集团的腐败和官场中黑暗的现实，在48岁时毅然辞官回乡。回家途中，他路过镇江，恰好碰上人们抬着各位天神进行祭拜。有人认出了当代文豪龚自珍，便上前请他写篇祭文。龚自珍欣然应允，挥笔写道：

九州生气恃风雷，万马齐喑究可哀；

我劝天公重抖擞，不拘一格降人才。

诗的大意是说：中国要充满生气，就得实行疾风迅雷般的社会变革。但是现在到处死气沉沉，世人都缄口不言，实在令人悲愤。我奉劝老天爷抖擞精神，重新振作起来，不局限于常规，使有用的人才涌现出来。

后来，最后一句就简化为"不拘一格"这个成语。

bù kě jiù yào
不可救药

西周的周厉王是个残暴的国君，他派人到处暗察偷听，残杀议论他的人。人们只能用交换眼色来表达愤恨。

有个大臣，名叫凡伯，极力劝谏周厉王改变暴虐的政治，力修德政，挽救国家。可是周厉王哪里肯听。朝廷上的一些权臣都嘲笑凡伯，说他不识时务。凡伯气愤极了，便挥笔写了长诗《板》，诗中有一节的大意是：

老天正在行暴虐，不要这样来喜乐。老将谆谆将你劝，小子骄傲意轻薄。说话非我老昏了，是你有意来戏谑。你的气焰如此狂，真是再不可救药。

后人根据这段话，就引申出了成语"不可救药"。

影响孩子一生的 YING XIANG HAI ZI YI SHENG DE 300 个 经典成语 GE JING DIAN CHENG YU 春卷

不寒而栗
bù hán ér lì

西汉武帝时期，有个叫义纵的人，曾经做过拦路抢劫的盗贼。他的姐姐义姁是皇太后的御医，很受皇太后宠爱，义纵依靠这层关系做了官。

义纵不徇私情、严格执法，但他滥用刑罚，肆意残杀老百姓，因此得了一个"酷吏"的称呼。不过，那些违法的人也十分畏惧他。

后来，义纵升任定襄太守。他一到任，就把监狱中重罪轻判的200多犯人严加管制。同时还把私自入狱探望犯人的200多人，以"企图为犯人解脱刑具"的罪名定了罪。然后将他们同犯人一起斩首示众。

定襄地区的老百姓听到这个消息后，个个胆战心惊。本来天气并不寒冷，但人们都浑身发抖，不寒而栗。从此，那些不法之徒就老实多了。

zhuān xīn zhì zhì
专心致志

chūn qiū shí qī yǒu yī gè míng jiào yì qiū de xià qí néngshǒu shōu le liǎng gè xué sheng
春秋时期，有一个名叫弈秋的下棋能手，收了两个学生。

zài xué xí shí yī gè xué sheng jīng lì jí zhōng jìng xīn tīng jiǎng ér lìng yī gè xué sheng què
在学习时，一个学生精力集中，静心听讲；而另一个学生却

xīn bù zài yān dōngzhāng xī wàng yī huì er kàn kan chuāng wài yī huì er yòu tīng ting tiān shang
心不在焉，东张西望，一会儿看看窗外，一会儿又听听天上

de yàn míng yì qiū quán jiǎng wán le tā yě méi zhù yì tīng
的雁鸣。弈秋全讲完了，他也没注意听。

yì qiū wèi le jiǎn yàn xué sheng xué xí de xiào guǒ jiù jiào tā liǎ duì yì yī jú nà
弈秋为了检验学生学习的效果，就叫他俩对弈一局，那

ge zhuān xīn tīng jiǎng de xué shenggōng shǒucóng róng yǒu xù bù bù zhǔ dòng ér xué xí shí sān xīn
个专心听讲的学生攻守从容有序，步步主动；而学习时三心

èr yì de xué sheng lián zhāo jià zhī gōng yě méi yǒu
二意的学生连招架之功也没有。

yì qiū yǔ zhòng xīn cháng de duì liǎng gè xué sheng
弈秋语重心长地对两个学生

shuō xià qí běn lái zhǐ shì xiǎo xiǎo de jì yì suàn
说："下棋本来只是小小的技艺，算

bu de shén me dà běn
不得什么大本

shi dàn shì bù
事，但是不

zhuān xīn zhì zhì de
专心致志地

xué xí yě shì xué
学习，也是学

bu hǎo de ya
不好的呀！"

影响孩子一生的 YING XIANG HAI ZI YI SHENG DE 300 个 经典成语 GE JING DIAN CHENG YU 春卷

成语

tiān nǚ sàn huā
天女散花

chuán shuō tiān guó li yǒu yī wèi tiān nǚ yī
传说，天国里有一位天女。一

tiān tā màn bù zài yún céng shàng duān hū rán kàn jian fó
天，她漫步在云层上端，忽然看见佛

jiào de chuán bō zhě wéi mó jū
教的传播者维摩居

shì zài xiàng zhòng rén bù dào xuān
士在向众人布道、宣

yáng fó fǎ tiān nǚ xiǎng wǒ bù
扬佛法。天女想，我不

fáng cè shì yī xià kàn kan tā men
妨测试一下，看看他们

de dào héng rú hé
的道行如何。

yú shì tiān nǚ biàn fēi dào tiān guó de huā yuán li zhāi le xiē tiān huā lai tā shùn
于是天女便飞到天国的花园里，摘了些天花来。她顺

shǒu lū xià tiān huā de huā bàn chuāi zài yī dōu li dài kào jìn tā men zhè yī qún rén shí
手撸下天花的花瓣，揣在衣兜里，待靠近他们这一群人时，

biàn bǎ huā bàn cháo zhòng rén shēn shang sǎ qù tiān huā huā bàn sǎ
便把花瓣朝众人身上撒去。天花花瓣撒

luò xia lai rú guǒ jīng guò rén shēn
落下来，如果经过人身

而飘散开去，说明这人专心修行；如果花瓣附身，粘住不飞，就说明这个人佛心不坚定。

大家突然看见天上飘落大把大把的花瓣，都不知道是怎么回事，纷纷抬头向上看去。那些能说会道的弟子们身上全粘满了五颜六色的花瓣，唯有文殊和普贤身上清清爽爽，连花粉都没有沾上。只有维摩居士明白其中的底细，他不动声色地微笑着。

这时天女现了身形，并说明了原因，那一大群弟子听后都感到很难为情。维摩出来打圆场说："普贤和文殊跟随佛祖修炼多少年，才达到这种境界。你们大家只要努力，经过一定的时间也会达到呀！"弟子都点头称是，表示要专心专意进行修炼。

tiān yá hǎi jiǎo
天涯海角

韩愈是唐朝中期著名的文学家。他三岁时父母双亡，只好跟着哥哥和嫂子生活。

韩愈的哥哥韩会和郑夫人没有孩子，就过继了一个儿子。这个过继儿子比韩愈小一岁，因为排行12，所以小名叫十二郎。

韩愈11岁的时候，哥哥韩会被贬为韶州刺史。刚上任没有几个月，就病死了。这时，韩愈除了十二郎之外，再也没有亲人了。两个孩子相依为命地生活了八年，感情深厚。

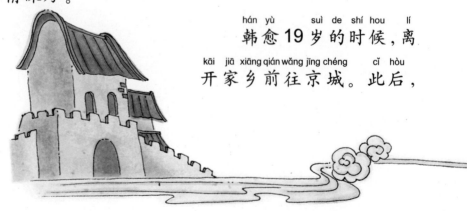

韩愈19岁的时候，离开家乡前往京城。此后，

yī zhí méi yǒu jī huì zài yǔ shí èr láng shēng huó zài yī qǐ　dàn shì tā de xīn zhōng
一直没有机会再与十二郎生活在一起。但是他的心中

fēi cháng huái niàn yǔ shí èr láng zài yī qǐ de suì yuè
非常怀念与十二郎在一起的岁月。

hòu lái　shí èr láng bìng gù le　hán yù wàn fēn bēi tòng　xiě xià le　jì
后来，十二郎病故了。韩愈万分悲痛，写下了《祭

shí èr láng wén　zài wén zhāng de zuì hòu yī duàn zhè yàng xiě dào　wū hū　rǔ
十二郎文》，在文章的最后一段这样写道："呜呼！汝

bìng wú bù zhī shí　　yī zài tiān zhī yá　yī zài dì zhī jiǎo　shēng ér yǐng bù yǔ
病吾不知时……一在天之涯，一在地之角：生而影不与

wú xíng xiāng yī　sǐ ér hún bù yǔ wú mèng xiāng jiē　　zhè piān jì wén chōng fèn shū
吾形相依，死而魂不与吾梦相接……"这篇祭文充分抒

fā le hán yù huái niàn shí èr láng de qíng gǎn　zhēn shì yī zì yī lèi　dú lái lìng
发了韩愈怀念十二郎的情感，真是一字一泪，读来令

rén xīn suān
人心酸。

hòu lái　rén men
后来，人们

jiù yòng　tiān yá hǎi jiǎo
就用"天涯海角"

xíng róng fēi cháng yáo yuǎn
形容非常遥远

de dì fang
的地方。

成语

tiān yī wú fèng
天衣无缝

gǔ shí hou yǒu gè míng jiào guō hàn de qīng nián néng shī shàn huà yí gè xià yè
古时候，有个名叫郭翰的青年，能诗擅画。一个夏夜，

tā zài yuàn li chéngliáng hū rán kàn jian yí wèi měi lì de bái yī xiān nǚ cóng tiān kōng rǎn rǎn
他在院里乘凉。忽然看见一位美丽的白衣仙女从天空冉冉

ér xià tā shuō wǒ shì tiān shang de xiān nǚ dào rén jiān yóu wán tīng shuō nǐ de huà fēi
而下。她说："我是天上的仙女，到人间游玩，听说你的画非

cháng hǎo tè lái xīn shǎng
常好，特来欣赏。"

guō hàn máng qǐng tā jìn wū dào le fáng jiān li guō
郭翰忙请她进屋。到了房间里，郭

hàn zǐ xì guān chá xiān nǚ fā xiàn tā shēnshang de yī fu huá
翰仔细观察仙女，发现她身上的衣服华

lì duō cǎi hún rán yī tǐ lián yī diǎn er féng de hén jì
丽多彩，浑然一体，连一点儿缝的痕迹

yě méi yǒu guō hàn biàn wèn nín de yī fu zěn me méi
也没有。郭翰便问："您的衣服怎么没

yǒu yī fèng er a xiān nǚ xiào le xiào huí dá zhè
有衣缝儿啊？"仙女笑了笑，回答："这

shì tiān yī bù yòng rén jiān
是天衣，不用人间

de zhēn xiàn féng zhì yīn cǐ méi yǒu yī fèng er guō hàn shuō
的针线缝制，因此没有衣缝儿。"郭翰说：

yuán lái shì zhè yàng
"原来是这样！"

hòu lái guō hàn gěi xiān nǚ jiǎng jiě tā měi zhāng huà
后来，郭翰给仙女讲解他每张画

de lì yì gòu sī bǎ xiān nǚ xī yǐn zhù le cǐ
的立意、构思，把仙女吸引住了。此

hòu nà xiān nǚ jiù chéng le guō hàn de zuò shang kè
后那仙女就成了郭翰的座上客。

jǐng dǐ zhī wā
井底之蛙

从前，在一口废井里生活着一只青蛙。有一天，一只大海龟经过这里。青蛙对海龟说："你瞧，我自己占据了这么大的一口井，多逍遥、自在、快乐呀！高兴的时候，我就在井里唱歌；如果累了，就在井里休息。"

大海龟听了青蛙的话，就想到井里去瞧瞧。可是，它的左脚还没伸进井里去，右膝已经被井壁卡住了。它在井边看清了井里只有浅浅的一汪水，便退了回来，站住脚说：

"朋友，你知道大海吗？海之广，何止千万里；海之深，何止千万丈。闹水灾时，海水涨不了多少；大旱时，海水也不见得浅。住在大海里，才是真正的快乐逍遥呢！"

那井底之蛙听了这番话，惊讶得目瞪口呆，哑口无言。

影响孩子一生的 YING XIANG HAI ZI YI SHENG DE 300 个经典成语 GE JING DIAN CHENG YU 春卷

见怪不怪

jiàn guài bù guài

sòng cháo shí   yǒu gè míng jiào jiāng qī de rén   kāi le
宋朝时，有个名叫姜七的人，开了

yī jiā lǚ diàn shēng yì dào yě xīng lóng   yī nián chūn tiān
一家旅店，生意倒也兴隆。一年春天，

wǎn shang shuì jiào shí   jiāng qī zǒng tīng dào cóng
晚上睡觉时，姜七总听到从

hòu yuán nà biān chuán lái bēi qiè de kū shēng
后园那边传来悲切的哭声。

kāi shǐ shí   tā jué de hěn qí guài   hòu lái
开始时，他觉得很奇怪，后来

tīng de cì shù duō le   yě bù dàng huí
听的次数多了，也不当回

shì le
事了。

yǒu yī tiān diàn li lái le wǔ
有一天，店里来了五

wèi kè shāng   shēn yè   tā men dōu tīng
位客商。深夜，他们都听

dào le bēi qiè de kū shēng biàn xún shēng
到了悲切的哭声，便循声

dào hòu yuán zhǎo xún   fā xiàn yī tóu lǎo mǔ zhū zhèng zài liú lèi kū qì   tā men wèn dào
到后园找寻，发现一头老母猪正在流泪哭泣。他们问道：

wèi shén me bàn yè li zài zhè li tí kū zuò guài chǎo de rén bù néng rù shuì
"为什么半夜里在这里啼哭作怪，吵得人不能入睡。"

nà lǎo mǔ zhū jìng kǒu tǔ rén yán dào   wǒ běn shì jiāng qī de zǔ mǔ   shēng qián
那老母猪竟口吐人言道："我本是姜七的祖母，生前

yǐ yǎng mǔ zhū wéi yè kào cǐ fā qǐ jiā yè   dàn shì zì jǐ què lèi de shēng le zhòng
以养母猪为业，靠此发起家业，但是自己却累得生了重

病，竟一命呜呼了。没想
到死后还受到惩罚，被投
生为猪，如今真是懊悔、
伤心极了！"

第二天一早，客商们把这件事告诉了姜七，并劝他要
好好儿对待那头老母猪。姜七不以为然地说："畜生的话
怎么能相信？其实，我早就发觉了这件怪事，听得多了就
不惊奇了。你们也不必大惊小怪。"

过了两天，姜七忽然生
了病。他怀疑是那头老母猪
在作怪，便叫屠夫把它杀了
卖掉。不料，姜七的病却越
来越严重，到了不可救药的
程度。在临死时，他发出了
猪被杀时的惨叫声。

máo suí zì jiàn
毛遂自荐

战国时，秦国派重兵攻打赵国，很快就包围了赵国的国都邯郸。平原君受命出使楚国，请求援兵。

在他出发之际，有一个叫毛遂的门客说："我愿意陪您前往。"

平原君对毛遂没有什么印象，便问他："先生来我家几年了？"

毛遂说已经三年了。平原君就说："您在我家的时间不算短

了，可是我根本没有听说过您。”

毛遂说：“我是没有机会让您了解呀！”

平原君觉得
毛遂的话有一定
道理，便同意带他
去楚国。

到了楚国后，平原君请求楚王出兵救助赵国，可是楚王犹豫不决，不想帮助赵国。这时，毛遂突然从平原君身后站出来，走到楚王面前。他一手提着剑，一手拉着楚王的衣服，慷慨激昂地说：“堂堂楚国，在秦国面前竟如此胆怯。秦将白起只率几万军队，一战就攻到了你们的国都，再战就烧掉了您的祖坟。这是何等耻辱！赵国都为楚国咬牙切齿，可大王您却不思报仇雪恨。老实说，楚赵联合抗秦也是为了楚国着想啊！”

楚王被毛遂的勇气和言论所折服，遂与平原君歃血为盟，同意联合抗秦。

平原君称赞毛遂说：“您的三寸不烂之舌胜过雄兵百万啊！”

YING XIANG HAI ZI YI SHENG DE 300 个经典成语 GE JING DIAN CHENG YU ···春卷

yuè xià lǎo rén
月下老人

táng dài yǒu gè míng jiào wéi gù de qīng nián　dào qīng hé jùn yóu xué　yī tiān　tā kàn

唐代有个名叫韦固的青年,到清河郡游学。一天,他看

dào yī wèi lǎo rén zhèng duì zhe yuè guāng fān shū

到一位老人正对着月光翻书。

wéi gù zǒu jìn lǎo rén　wèn dào　lǎo ren jia　nín dú shén me shū ne

韦固走近老人,问道:"老人家,您读什么书呢?"

lǎo rén hé ǎi de shuō　zhè shì tiān xià rén de hūn yīn bù

老人和蔼地说:"这是天下人的婚姻簿。"

wéi gù yòu wèn　nà yī nín jiǎng　wǒ de qī zi zài nǎ li ne

韦固又问:"那依您讲,我的妻子在哪里呢?"

zhè shí yī gè lǎo pó po tiāo zhe yī dàn qīng cài

这时一个老婆婆挑着一担青菜

guò lai　tā xiā le yī zhī yǎn jing　tuǐ yòu yǒu diǎn er

过来。她瞎了一只眼睛,腿又有点儿

qué　zǒu lù yáo yáo bǎi bǎi　huái li

瘸,走路摇摇摆摆,怀里

bào zhe yī gè nǚ hái er

抱着一个女孩儿。

lǎo rén zhǐ zhe tā

老人指着她

duì wéi gù shuō　zhè rén

对韦固说:"这人

huái li de nǚ hái er jiù

怀里的女孩儿就

shì nǐ de qī zi

是你的妻子。"

韦固听了，一肚子的不高兴，说："你这人胡说八道，我怎么会娶她的女儿，再说那女孩儿还那么小！。"

老人笑笑，一下子消失了。

过了14年，韦固做了大官，也娶了妻子。妻子长得非常漂亮，才17岁。俩人恩恩爱爱，感情非常好。一天，妻子讲起自己的身世，说她原本出身官绅家庭，幼时寄养在清河郡一家姓陈的卖菜阿婆家里。阿婆虽然瞎眼瘸腿，心地却非常善良，在她家长到10岁，父母才抱回去……

听了妻子的话，韦固想起了14年前的一幕故事，才相信那个月下老人说得确实不错。

wén zhì bīn bīn
文质彬彬

kǒng zǐ shì chūn qiū shí qī de sī xiǎng jiā　jiào yù jiā　yǒu yī cì　kǒng zǐ gěi
孔子是春秋时期的思想家、教育家。有一次，孔子给

dì zǐ men jiǎng dào zěn yàng cái suàn de shì yī gè　jūn zǐ
弟子们讲到怎样才算得是一个"君子"

shí shuō
时，说：

zhì shèng wén zé yě　wén
"质胜文则野，文

shèng zhì zé shǐ　wén zhì bīn bīn
胜质则史。文质彬彬，

rán hòu jūn zǐ
然后君子。"

yì si shì shuō guāng yǒu pǔ
意思是说：光有朴

shí de pǐn gé　bù zhù zhòng wén cǎi　jiù huì guò yú cū yě　guāng jiǎng wén cǎi　quē fá pǔ
实的品格，不注重文采，就会过于粗野；光讲文采，缺乏朴

shí de pǐn gé　jiù yòu huì bù miǎn xū fú　pǔ shí hé wén cǎi yào pèi hé shì dàng　yī
实的品格，就又会不免虚浮。朴实和文采要配合适当，一

gè rén jì yào yǒu pǔ shí de pǐn gé　yòu yào yǒu hǎo de lǐ jié yí biǎo　cái kě yǐ chēng
个人既要有朴实的品格，又要有好的礼节仪表，才可以称

wéi yǒu xiū yǎng de jūn zǐ　zhè yàng jiù kě yǐ biǎo xiàn yī gè rén jì hěn yǒu xué wen
为有修养的君子。这样就可以表现一个人既很有学问，

yòu hěn yǒu fēng dù　zuò qǐ shì lai cóng róng bù pò　yǒu tiáo bù wěn　zài xíng dòng shang yě
又很有风度，做起事来从容不迫，有条不紊，在行动上也

hěn jǐn shèn
很谨慎。

gēn jù kǒng zǐ shuō de zhè fān huà　hòu rén jiāng　wén zhì bīn bīn　yǐn shēn wéi chéng yǔ
根据孔子说的这番话，后人将"文质彬彬"引申为成语。

风声鹤唳
fēngshēng hè lì

西晋灭亡后，我国历史上出现了南北大分裂的局面。公元383年，前秦苻坚统一北方后，强征北方各族人民，组成了90万大军南下进攻东晋。东晋派谢玄等率兵迎战。

苻坚自以为胜利在望，沿着淝水（今安徽境内）摆开阵势，准备大战。晋军主帅谢玄派人到秦军中去，对苻坚说："请秦军暂且后撤一点，让晋军渡过淝水，以便决一胜负。"

苻坚以为可以乘晋军渡河时进行偷袭，便一口应允。谁知，当他下令后退时，后面的军士误以为打了败仗，便四散溃逃，犹如决堤的洪水。晋军趁机抢渡淝水追杀过来，大败秦军。苻坚在逃跑途中，听到风声与鹤鸣声，以为是晋军追来，非常害怕。这场战争后，东晋得以偏安南方，从此形成了南北对峙的局面。

后来，人们根据这个故事，引申成"风声鹤唳"这个成语。

影响孩子一生的 YING XIANG HAI ZI YI SHENG DE 300 个经典成语 GE JING DIAN CHENG YU 春卷

成语

fēng chuī cǎo dòng
风吹草动

chūn qiū shí qī　hūn yōng de chǔ píng wáng shā
春秋时期，昏庸的楚平王杀

hài le tài zǐ de shī fu wǔ shē hé tā de dà
害了太子的师傅伍奢和他的大

ér zi wǔ shàng　wǔ shē de xiǎo ér zi
儿子伍尚。伍奢的小儿子

wǔ zǐ xū gǎn jǐn chū táo　chǔ píng wáng
伍子胥赶紧出逃，楚平王

xià lìng zài gè dì chéng mén kǒu guà shang
下令在各地城门口挂上

tā de huà xiàng xuán shǎng zhuō ná
他的画像悬赏捉拿。

wǔ zǐ xū qiáo zhuāng gǎi bàn
伍子胥乔装改扮，

táo dào zhāo guān
逃到昭关，

kàn dào chéng mén shang yě xuán guà zhe zì jǐ de huà xiàng　xìng hǎo　yù
看到城门上也悬挂着自己的画像。幸好，遇

dào le fù qin de péng you dōng gāo gōng　qiāo qiāo bǎ tā lǐng dào zì
到了父亲的朋友东皋公，悄悄把他领到自

jǐ de jiā li　dōng gāo gōng ràng wǔ zǐ xū nài xīn děng dài
己的家里。东皋公让伍子胥耐心等待。

kě shì yī lián děng le qī tiān　hái shi méi yǒu chū guān de
可是一连等了七天，还是没有出关的

jī huì　wǔ zǐ xū xīn qíng jiāo jí wàn fēn　chè yè
机会。伍子胥心情焦急万分，彻夜

nán mián　hū rán yī yè zhī jiān　tā de tóu fa hé hú
难眠，忽然一夜之间，他的头发和胡

子都急白了。

东皋公说："你现在白须白发，跟关口的画像不太像了，正好乘机出关！"

就这样，伍子胥过了关口。

一路上，他只怕追兵赶到，精神紧张，只要有一点儿风吹草动的声音，便立刻隐匿起来。

他来到一条江边，请求江边的老渔翁渡自己过江。

等到了对岸，伍子胥解下随身佩带的宝剑，对老渔翁说："这是我祖传的宝剑，价值千金，送给老丈。"

老渔翁说："我早知道你是城门口画像上的伍子胥。楚王重金悬赏捉拿你，还赐给爵位。这样的奖励我都不要，难道会要你的宝剑吗？"

伍子胥谢过渔翁，上路而去，终于安全到达吴国。

为虎作伥
wèi hǔ zuò chāng

有一只饿虎在森林里寻食，碰上一个樵夫，就吃光了他的肉。吃饱之后，老虎还抓住樵夫的灵魂，要它帮助寻找下一个猎物。樵夫的灵魂为了尽快解脱，就答应了。从此，它听老虎的指使，直至抓到新的受害者，被老虎吃掉，灵魂再充作它的替身。

平时，它给老虎当向导，当遇到猎人设置的陷阱或捕虎的网子，就会引导老虎绕开。当找到第二个人后，它先上前去脱掉这人的衣服，解开带子，脱掉鞋子，好让老虎吃起来不费力。这个人身受虎害，其鬼魂反过来又去帮老虎干害人的勾当，被人们称为"伥鬼"。

后人根据这个传说故事，引出了成语"为虎作伥"。

xīn kuàngshén yí
心旷神怡

在湖南省岳阳市有个岳阳楼，初建于唐初。北宋的滕子京进行了重修。

滕子京和范仲淹是好朋友，便请范仲淹写篇文章，来记叙重修岳阳楼这件事。

范仲淹欣然接受了好友的请求，写成了《岳阳楼记》。这篇文章写得非常优美，成为传颂千古的文章。其中有几句话这样写道："登斯楼也，则有心旷神怡，宠辱偕忘，把酒临风，其喜洋洋者矣。"

意思是说：登上岳阳楼，就会觉得心胸开阔，精神愉快，荣辱得失一并都忘了；端起酒杯，沐浴着清风畅饮，其乐无穷啊！

后来，就把文章中的"心旷神怡"引申成了成语。

影响孩子一生的 YING XIANG HAI ZI YI SHENG DE 300 个 经典成语 GE JING DIAN CHENG YU ……春卷

成语

shuǐ luò shí chū
水落石出

北宋文学家苏轼在被贬谪黄州（湖北省黄冈）时，有一次与朋友一起出城散步，不知不觉来到赤壁下的长江岸边。宁静而美丽的夜景使苏轼兴致勃发，灵感冲至，便写出了不朽之作《后赤壁赋》。文中写道："江流有声，断岸千尺；山高月小，水落石出。曾日月之几何，而江山不可复识矣！"

意思是说：江水依然哗哗地流着，两岸的悬崖峭壁高达千尺，因为山高，月亮就显得小了；因为水位下降，河里的石头都显露出来。回想上次游玩的情景，江山的面貌已经改变得让我不认识了！

后来，人们就把"水落石出"引申为成语。

shuǐ dī shí chuān
水滴石穿

宋朝时候，崇阳有个县令叫张乖崖。他为人正直清廉。

有一次，他在衙门内巡察，忽然发现一名小吏慌慌张张地从库房走出来。张乖崖便走过去询问。小吏先是不肯说，后来张乖崖升堂审问。小吏才说："我在库房偷了一文钱，也没什么了不起的。"张乖崖听后很生气，说："一日一钱，千日千钱，绳锯木断，水滴石穿。"

这段话的意思是：一天偷一文钱，1000天就是1000个一文钱。时间长了，绳子也能锯断木头，水滴也能把石头洞穿。偷一文钱的小罪也会发展成为重罪。

从此以后，衙门内再也没有发生过这类事件。官吏们既怕张乖崖又很敬重他。

影响孩子一生的 YING XIANG HAI ZI YI SHENG DE 300 个经典成语 GE JING DIAN CHENG YU 春卷

四面楚歌

楚汉相争的时候,起初,项羽实力居优势。但是由于刘邦知人善任,广集良才,因此经过几年战争,势力不断强大,最后竟打得项羽节节败退。

公元前202年,楚军被汉军围困在垓下。项羽万分焦急。他想:"现在没有其他办法,只有拼死抵抗了。"正在这时,忽然听到从四面八方传来楚国的歌谣。

项羽大惊失色:"为何有这么多人唱楚歌呢?"

原来这是刘邦的谋士张良为瓦解楚军的斗志而想出的计谋。他知道项羽的军士都是楚地人,于是便命令汉军高唱楚歌,以动摇楚军军心。

楚军将士听到四面唱起楚歌,不禁勾起思乡之情,士气十分低落,军心涣散。

当天夜里,项羽突围南逃,但汉军在后面紧紧追赶。项羽奋勇作战,也无法摆脱汉军的追击。眼看着800名将士最后只剩下26人了,他逃到乌江边上,拔剑自刎了。

kāi juàn yǒu yì
开卷有益

古代有一部巨著，名叫《太平总类》，书中搜集摘录了1600多种古籍的重要内容，分类归成55门。宋太宗赵光义对这部巨著很感兴趣，下决心要阅读完《太平总类》。于是，他规定自己每天至少要看三卷，有时因为事情多耽误了，也得抽空补上。有人认为皇帝每天要处理那么多国家大事，还要去读这么一部大书，太辛苦了，就劝谏他少看这类厚书，以免过度劳神。

宋太宗却说："开卷有益，朕不以为劳也。"

意思是说，只要打开书本，多读点儿书，总是会得到好处的，我一点儿也不觉得劳累啊！

根据这个故事，人们便引出"开卷有益"这个成语。

成语

kāi tiān pì dì
开天辟地

传说在很久以前，宇宙是像个大鸡蛋似的浑浊气团，有个名叫盘古的巨人就沉睡在这个巨大的"鸡蛋"里。一天，盘古从睡梦中醒来，发现四周漆黑一片。于是，就挥动斧子，用力向着混沌黑暗劈去。随着一声巨响，大鸡蛋破裂了，其中轻飘而清白的东西徐徐上升，变成了高高的天空；沉重而浑浊的东西不断下沉，变成了厚实的大地。为了让天地永远分开，盘古站在天地之间，用手撑着青天，用脚踏着大地，像一根巨大的柱子似的支撑着天地。就这样过了 18000 年。最后他终于支撑不住倒在了地上。依靠盘古的神力，天地再也不可能合拢成原来混沌的样子，黑暗也一去不复返了。

开诚布公
kāi chéng bù gōng

诸葛亮是三国时杰出的政治家和军事家。他任蜀国丞相后，对待朝中的文武大臣，处理国家的军政大事，都坦白无私、诚恳公正。

刘备临终前，把后主刘禅托付给他。他尽心竭力地辅佐刘禅。无奈刘禅却是个庸碌无能的君主，无论大小政事，都得由诸葛亮决定。

面对三分天下的局面，诸葛亮一面努力改善与西南各少数民族的关系，一面联合东吴，北伐曹魏，积极争取国家的统一。

诸葛亮治军严格，赏罚分明。当与他私交很好的马谡失守街亭后，他含泪按军法处死了马谡，同时自己也引咎降职。

诸葛亮终因积劳成疾，最后病死在军中，没给他的后代留下任何财产。

后来，《三国志》的作者陈寿在为诸葛亮写的传记中称赞他是"开诚心，布公道。"

成语"开诚布公"就是由此简化而来。

影响孩子一生的 YING XIANG HAI ZI YI SHENG DE 300 个 经典成语 GE JING DIAN CHENG YU 春卷

lè bù sī shǔ
乐不思蜀

三国时期，刘备建立了蜀国。他死后，儿子刘禅继承帝位。刘禅无能、昏庸、胆小怕事。诸葛亮死后不久，魏国大举进攻蜀国。刘禅见大势已去，便投降了魏国。

蜀国灭亡后，刘禅被迫迁往洛阳居住。他居然十分满足，心安理得地过上了享乐生活。有一天，司马昭请刘禅饮酒，席间问他是否思念蜀国，刘禅回答："这里很快乐，比蜀国好多了，乐不思蜀啊！"

刘禅身边的一位随从暗中告诉他说："以后司马昭再问您，应该哭着回答，祖先的坟墓远在西蜀，我心中十分悲痛，无时无刻不在思念着故乡啊！"

刘禅听后连连说好。不久，司马昭果然又问刘禅："想念不想念蜀国呀？"

刘禅就按照随从所教的那样回答。他想哭却挤不出眼泪来，无可奈何之下只好闭上眼睛，装着很悲伤的样子。司马昭觉得非常好笑，说："这些话是你的随从教的吧？"

刘禅很吃惊，睁开眼说："您是怎么知道的？这正是一位随从教我的。"旁边的人听后，都耻笑这个扶不起来的阿斗。

影响孩子一生的 300 个经典成语

YING XIANG HAI ZI YI SHENG DE

GE JING DIAN CHENG YU

春卷

成语

98

bàn tú ér fèi
半途而废

战国时期的乐羊子，有一个美丽又能干的妻子。年轻时，他到外地去求学，不到一年就回家了。妻子正在织布，突然看见丈夫回来，就问："学业完成了？"

乐羊子说："还没有。但我天天想家，就回来了。"

听了这话，妻子拿起剪刀，把织布机上的布剪成了两段。

她说："这布是我一丝丝织出来的，花了不少时间和心血。把它剪断了，就一点儿用处也没有了。你出门求学，半途而废，就像这被剪断的布一样，全都白搭了。"

听了妻子的这番话，乐羊子非常惭愧。第二天一早，就再次出门求学。后来，乐羊子学有所成，被魏文侯重用，做出了一番大事业。

外强中干

wài qiángzhōng gān

春秋时期，秦国攻打晋国，很快便攻入晋国的国土。晋国国君晋惠公决定亲自领兵抵抗。

战斗开始前，晋国的大臣庆郑见晋惠公战车上套着的是郑国出产的叫做"小驷"的马，便劝阻惠公说："据我所知，交兵打仗最好用本国的马，因为这些马出生在本国，服水土，通人性，熟悉道路。打起仗来能随从人愿，听从使唤。现在大王面临强敌，而使用别国出产的马，这种马外表看起来似乎强壮，内里却虚怯；样子挺威风，实际上是外强中干。一上战场，它先害怕得不得了，就会不听指挥，狂奔瞎撞。到那时，要进不能，要退不能，后悔就来不及了。"

晋惠公不听庆郑的劝告，命令赶车的立即出发。两国兵马在野外交战，正像庆郑分析的那样，给他驾车的那种郑国的高头大马，一遇到战尘遮天，就嘶鸣狂叫，拼命蹦跳，驾车的人勒也勒不住，停也停不下，最后把战车拉进了泥坑，结果晋惠公当了秦国的俘虏。

影响孩子一生的 YING XIANG HAI ZI YI SHENG DE 300 个经典成语 GE JING DIAN CHENG YU 春卷

píng yì jìn rén
平易近人

zhōu gōng shì zhōu wǔ wáng de dì di　wèi jiàn lì zhōu wáng cháo lì xià le hàn mǎ gōng láo
周公是周武王的弟弟，为建立周王朝立下了汗马功劳，

bèi fēng zài qū fù wéi lǔ gōng　dàn yīn wei tā yào fǔ zuǒ zhōu chéng wáng　suǒ yǐ pài zhǎng zǐ
被封在曲阜为鲁公。但因为他要辅佐周成王，所以派长子

bó qín jiē shòu fēng dì　qù qū fù rèn lǔ gōng
伯禽接受封地，去曲阜任鲁公。

bó qín dào lǔ dì sān nián hòu　cái huí lai xiàng zhōu gōng bào gào cǐ dì de shī zhèng
伯禽到鲁地三年后，才回来向周公报告此地的施政

qíng kuàng　zhōu gōng hěn bù mǎn yì　wèn tā wèi hé zhè me chí cái lái huì bào lǔ dì de
情况。周公很不满意，问他为何这么迟才来汇报鲁地的

qíng shì
情势。

bó qín huí dá shuō wǒ yào gǎi biàn lǔ dì de gè zhǒng xí sú hái yào gǎi gé xǔ
伯禽回答说："我要改变鲁地的各种习俗，还要改革许

duō lǐ fǎ yòng le sān nián de shí jiān cái zuò wán zhè yī qiè
多礼法，用了三年的时间才做完这一切。"

zhè shí zhèng qiǎo jiāng shàng yě lái huì bào qí dì de qíng kuàng
这时正巧姜尚也来汇报齐地的情况。

jiāng shàng shòu fēng yú qí dì zhǐ yǒu wǔ gè yuè jiù néng
姜尚受封于齐地只有五个月，就能

bǎ nà li de qíng kuàng shuō de yī qīng èr chǔ zhōu gōng
把那里的情况说得一清二楚，周公

hěn jīng yà biàn wèn tā nán dào qí dì gè fāng
很惊讶，便问他："难道齐地各方

miàn de qíng kuàng yǐ jīng zhěng dùn tuǒ dang le ma
面的情况已经整顿妥当了吗？"

jiāng shàng huí dá shuō yī qiè dōu ān dìng xia lai
姜尚回答说："一切都安定下来

le wǒ jiǎn huà le jūn chén zhī jiān de lǐ jié
了，我简化了君臣之间的礼节；

cóng dāng dì de shí jì qíng kuàng chū fā yī qiè shùn
从当地的实际情况出发，一切顺

cóng mín yì àn zhào dāng dì mín zhòng de xí sú bàn shì cái néng shùn lǐ chéng zhāng bù yào gēn
从民意；按照当地民众的习俗办事，才能顺理成章。不要根

běn xìng de gǎi biàn yě jiù bù yào hěn cháng shí jiān le
本性地改变，也就不要很长时间了。"

zhōu gōng bù yóu gǎn tàn dào qí dì yī dìng néng shèng guo lǔ dì wéi zhèng bù jiǎn yuē
周公不由感叹道："齐地一定能胜过鲁地！为政不简约、

bù shùn cóng mín yì bǎi xìng bù huì qīn jìn zhǐ yǒu shùn qí mín yì cái píng yì jìn rén lǎo
不顺从民意，百姓不会亲近，只有顺其民意，才平易近人，老

bǎi xìng cái néng guī shùn guó jiā cái huì qiáng dà a
百姓才能归顺，国家才会强大啊！"

影响孩子一生的 YING XIANG HAI ZI YI SHENG DE 300 个经典成语 GE JING DIAN CHENG YU 春卷

yè jīng yú qín
业精于勤

hán yù shì táng cháo zhù míng de wén xué jiā yě shì yī wèi zhèng zhí gǎn yán de guān lì
韩愈是唐朝著名的文学家，也是一位正直敢言的官吏。

yóu yú tā zhí yán gǎn jiàn dé zuì le huáng dì hé dà chén bèi biǎn zhí dào biān yuǎn de dì fang qù
由于他直言敢谏得罪了皇帝和大臣，被贬职到边远的地方去

zuò xiàn lìng duō nián yǐ hòu cái bèi shè miǎn huí jīng dān rèn guó zǐ jiàn bó shì
做县令，多年以后才被赦免回京，担任国子监博士。

hòu lái hán yù yòng zì jǐ de qiè shēn tǐ yàn xiě le yī piān wén zhāng jìn xué jiě
后来，韩愈用自己的切身体验写了一篇文章《进学解》，

yòng lái jī lì nián qīng rén yě jiè yǐ qīng tǔ zì jǐ nèi xīn de bù píng shū fā zì jǐ de
用来激励年轻人，也借以倾吐自己内心的不平，抒发自己的

gǎn shòu zài wén zhōng yǒu zhè yàng jǐ jù yì wèi shēn cháng de huà
感受。在文中有这样几句意味深长的话：

yè jīng yú qín huāng yú xī xíng chéng yú sī huǐ yú suí yì si shì shuō
"业精于勤，荒于嬉；行成于思，毁于随"。意思是说：

xué yè de jīng tōng quán zài yú qín fèn huāng fèi yòu zài yú tān
学业的精通，全在于勤奋；荒废又在于贪

wán er bù qiú jìn qǔ shì qing de chéng gōng zài yú kěn
玩儿不求进取。事情的成功，在于肯

dòng nǎo jīn sī kǎo shī bài yòu zài yú màn bù jīng
动脑筋思考；失败又在于漫不经

xīn qīng shuài bù rèn zhēn
心，轻率、不认真。

hòu rén biàn cóng zhè
后人便从这

jǐ jù huà zhōng bǎ yè
几句话中把"业

jīng yú qín yǐn shēn wéi
精于勤"引申为

chéng yǔ le
成语了。

扑朔迷离
pū shuò mí lí

花木兰是一个善良勤劳的农家姑娘。有一年北方边境上发生战事，皇帝下诏书在百姓之中征兵参战。征兵的名册上有木兰父亲的名字。可是父亲年老体弱，怎么上战场去打仗呢？

无可奈何之下，花木兰女扮男装，替父从军。这一去，就是12年，出生入死，转战千里。

战事结束后，木兰回到了自己阔别已久的家乡。一同在疆场上驰骋拼杀的伙伴们来探望她。木兰就穿着女人的衣裳，梳着女人的云鬓，戴着女人的饰品，款款走出房门迎接。同伴们都惊呆了："噢！你原来是个女儿家！怎么我们在一起行军、打仗12年，竟然不知道你是个女子呢！"

是啊，雄兔四腿跳跃、眼睛眨动；雌兔眼睛半闭、四腿跳跃。两只兔子在地上一块儿跑。你怎么能辨别哪个是雄兔、哪个是雌兔呢？真是扑朔迷离呀！

影响孩子一生的 300 个经典成语 春卷

YING XIANG HAI ZI YI SHENG DE GE JING DIAN CHENG YU

dōngshān zài qǐ
东山再起

东晋时期的谢安，学识渊博。他年轻时隐居在浙江会稽的东山，经常与王羲之、许询等人游山玩水，吟诗作赋，过着悠闲自得的生活。朝廷知道谢安很有才华，多次征召他出来做官，都被拒绝了。直到谢安40多岁时，才在迫不得已的情况下，做了朝廷的司马。在他上任的那天，朝中有个名叫高崧的官员开玩笑说："你过去高卧东山，不肯出来做官。人们常说：谢安不出山，怎么对得起百姓呢？今天你出山了，百姓应该怎样对待你呢？"

听了此话，谢安感到有些惭愧。后来，他官至宰相。在与前秦展开的淝水之战中，谢安运筹帷幄，以较少较弱的兵力，击败了前秦的百万大军。

dōng shī xiào pín
东施效颦

chuánshuōchūn qiū shí yuè guó yǒu gè jué sè měi nǚ míng
传说春秋时越国有个绝色美女名

jiào xī shī　　tā huàn yǒu xīn kǒu téng de máo bìng　zǒu
叫西施。她患有心口疼的毛病，走

lù shí　zǒng shì jǐn zhòu zhe méi
路时，总是紧皱着眉

tóu　yòngshǒu wǔ zhù xiōng kǒu
头，用手捂住胸口。

cūn li yǒu yī gè
村里有一个

chǒu nǚ zǐ　míng jiào dōng shī
丑女子，名叫东施。

tā kàn dào xī shī zhè fù mú
她看到西施这副模

yàng　jué de lìng yǒu yī zhǒng
样，觉得另有一种

wǔ mèi de fēng zī　yú shì jiù
妩媚的风姿。于是，就

mó fǎng xī shī de bìng tài biǎo qíng　zhòu zhe méi tóu
模仿西施的病态表情：皱着眉头，

wǔ zhù xīn kǒu　rán ér　rén men kàn dào tā zhè fù guài yàng zi　dōu jué de tā gèngchǒu　gèng
捂住心口。然而，人们看到她这副怪样子，都觉得她更丑、更

nán kàn le
难看了。

hòu lái rén men jiù bǎ zhè ge gù shi jiǎn huà wéi　dōng shī xiào pín　dàng zuò yī gè
后来人们就把这个故事简化为"东施效颦"，当做一个

chéng yǔ shǐ yòng le
成语使用了。

影响孩子一生的 YING XIANG HAI ZI YI SHENG DE 300 个经典成语 GE JING DIAN CHENG YU 春卷

chū qí zhì shèng
出奇制胜

chūn qiū shí qī, yān guó dà jiàng yuè yì jìn gōng qí guó jí mò。 jí mò chéng zhōng yǒu
春秋时期，燕国大将乐毅进攻齐国即墨。即墨城中有

gè míng jiào tián dān de rén, zú zhì duō móu, bèi tuī jǔ wéi shǒu chéng jiāng jūn。
个名叫田单的人，足智多谋，被推举为守城将军。

tián dān shǒu xiān shī zhǎn fǎn jiàn jì, shǐ yān wáng duì yuè yì chǎn shēng huái yí, jiāng tā zhào
田单首先施展反间计，使燕王对乐毅产生怀疑，将他召

huí guó。 jiē zhe, yòu pài rén sàn bù liú yán: "qí rén zuì pà yān rén jué tā men chéng wài
回国。接着，又派人散布流言："齐人最怕燕人掘他们城外

de zǔ fén, wǔ rǔ zǔ xiān。"
的祖坟，侮辱祖先。"

yān jūn xìn yǐ wéi zhēn, jiù bǎ qí rén chéng wài de zǔ
燕军信以为真，就把齐人城外的祖

fén dōu jué kāi le。 jí mò de shǒu chéng jiàng shì dé zhī cǐ shì
坟都掘开了。即墨的守城将士得知此事

hòu, gè gè yì fèn tián yīng, jué xīn yǔ yān jūn jué yī sǐ
后，个个义愤填膺，决心与燕军决一死

zhàn。 tián dān jiàn qí jūn shì qì gāo zhǎng, dòu zhì áng
战。田单见齐军士气高涨，斗志昂

yáng, biàn jué dìng fǎn gōng。
扬，便决定反攻。

他挑选了1000多头牛，给它们披挂上五彩斑斓的披风，将锋利的尖刀绑在牛角上，把浸透油脂的芦苇绑在牛尾上。夜里，田单命人将牛从暗中凿穿的几十个城墙洞口赶出城，然后让士兵点燃牛尾上的芦苇。那些牛受到惊吓，疯狂地奔跑、吼叫着冲向燕军军营。5000名齐兵紧随其后，大声呐喊着冲向燕军。

燕军从睡梦中惊醒，只见一群"怪物"飞奔而来，接着火光冲天，喊杀声震天，于是乱成了一团，四散逃亡。田单趁机挥师追击，收复了失地。

司马迁在《史记》中，将田单火牛破燕军的事迹，概括为"出奇制胜"的战术，并高度评价了它的成功和威力。

影响孩子一生的300个经典成语·春卷
YING XIANG HAI ZI YI SHENG DE
GE JING DIAN CHENG YU

出人头地

chū rén tóu dì

宋朝的著名文学家苏轼,自幼聪明好学,7岁就精读"四书五经",10岁就能作文,并且出口成章。到了20岁,他已经精通各种经文史书,并且每天坚持写作,数千言挥笔立就。

嘉祐二年,苏轼参加礼部的考试。主考官欧阳修看到他的文章后,非常惊喜,很想定他为第一,但又怀疑是自己的门客曾巩所写,为避嫌而定为第二。接着他用《春秋》的义理来复试,苏轼又考了第一。

后来,皇帝亲自出题面试,苏轼又获高中。随后,他拿着自己写的文章去拜见欧阳修。欧阳修笑着对梅圣俞说:"我们应当避开这个人,他将来是会出人头地的。"

chū wū ní ér bù rǎn
出污泥而不染

北宋时期，有一个著名的学者，名叫周敦颐。他非

常喜欢花，尤其喜爱莲花，还专门为莲花写了一篇文章，

题目叫做《爱莲说》。其中有一句话是这样的："……予

独爱莲之出淤泥而不染，濯清涟

而不妖……"意思是说，我喜

欢莲花从污泥里长出来，却

不沾染污泥，在清水中洗过，

却不显得妖艳。

《爱莲说》后来成为千古

传诵的佳篇，"出污泥而

不染"渐渐成为了一

句成语。

影响孩子一生的 YING XIANG HAI ZI YI SHENG DE 300 个 经 典 成 语 GE JING DIAN CHENG YU 春卷

世外桃源
shì wài táo yuán

晋朝的大文学家陶渊明，曾经写过一篇有名的文章《桃花源记》，记述了湖南武陵一个渔夫的奇遇：

有一天，这个渔夫驾着小船，溯河而上。不知划了多远，忽然发现河岸上有一片桃花林。他又继续向前划，看到一座小山，在山腰处有一个小洞。渔夫好奇地下了船，从那洞口爬进去。

走到山洞的尽头，发现有一片平坦的原野。

只见一排排房屋十分整齐，房前屋后，到处是桑树和竹子。肥沃的田野里，种有各种各样的植物。而田中间的道路交错纵横，四通八达。田野里有不少人耕作。孩子们则快乐地玩耍。

rén men kàn jian yú fū　　qǐ chū dōu gǎn dào hěn jīng qí　 dàn dōu

人们看见渔夫，起初都感到很惊奇，但都

rè qíng de hé tā xián tán　　zhè xiē rén gào su yú fū　　tā

热情地和他闲谈。这些人告诉渔夫：他

men de zǔ xiān yuán shì wèi le táo bì qín cháo de zhàn luàn

们的祖先原是为了逃避秦朝的战乱，

cái yǐn jū dào zhè li lái de　　yú fū shuō

才隐居到这里来的。渔夫说：

nǐ men zhè li zhēn shì shì wài táo yuán a

"你们这里真是世外桃源啊！"

rán hòu jiù bǎ cháo dài de biàn gēng gào su tā

然后就把朝代的变更告诉他

men　　tā men tīng le dōu shí fēn jīng chà

们。他们听了都十分惊诧。

jǐ tiān hòu　　yú fū yī yī bù shě de gēn dà huǒ gào

几天后，渔夫依依不舍地跟大伙告

bié　　tā huí qu hòu　　bǎ zhè cì qí yù xiàng tài shǒu bào gào　　tài shǒu jiù pài rén hé tā yī

别。他回去后，把这次奇遇向太守报告。太守就派人和他一

qǐ yán zhe yuán lù qù zhǎo　　dàn bù jǐn méi yǒu zhǎo dào nà ge cūn zhuāng hái mí shī le fāng xiàng

起沿着原路去找，但不仅没有找到那个村庄，还迷失了方向。

cóng cǐ yǐ hòu　　biàn zài yě méi rén jiàn guò zhè yī chù táo huā yuán le

从此以后，便再也没人见过这一处桃花源了。

巧夺天工

东汉末年，上蔡县令甄逸的小女儿长得非常美丽，有位相面先生预言说，她将来必定大富大贵。

甄姑娘后来嫁给了袁绍的儿子袁熙，但不久袁熙被曹操杀死了。曹操的儿子曹丕见到甄姑娘后，被她的美貌所吸引，马上与她成了亲。曹丕对甄姑娘宠爱无比，百依百顺。

后来，曹丕代汉称帝，建立了魏国，甄姑娘被立为皇后。据说在皇后宫室前的庭院中，有一条非常美丽的青蛇，它嘴里时常含着一颗珍珠。每当甄皇后梳妆打扮的时候，它就在她面前盘成各种奇巧的形状，而且每天的形状都不相同，从不重复。甄皇后受到启发，就模仿蛇的形状盘头发。时间久了，甄皇后的发髻虽然是用手工梳成的，但精致巧妙胜过了天然，后宫里的人都称为"巧夺天工"。曹丕见了后，觉得皇后仍然年轻漂亮，对她更加宠爱。

叶公好龙

yè gōng hào lóng

gǔ shí hou yǒu gè jiào yè gōng de rén fēi cháng
古时候有个叫叶公的人非常

xǐ huan lóng　tā jiā de fáng wū shang diāo zhe lóng
喜欢龙。他家的房屋上雕着龙；

chuāng hu shang　zhù zi shang kè zhe
窗户上、柱子上刻着

lóng　qiáng bì shang huà zhe lóng　shǐ yòng
龙；墙壁上画着龙；使用

de gè zhǒng qì jù shang yě dōu kè
的各种器具上也都刻

zhe lóng……zǒng zhī　zǒu
着龙……总之，走

jìn yè gōng de jiā　dào chù
进叶公的家，到处

dōu shì lóng de tú àn
都是龙的图案。

tiān shang de lóng zhī dao
天上的龙知道

le zhè jiàn shì　jiù qīn zì lái
了这件事，就亲自来

bài fǎng yè gōng　tā bǎ lóng tóu shēn jìn chuāng hu li zhāngwàng　bǎ wěi ba tuō zài tīng táng shang
拜访叶公。它把龙头伸进窗户里张望，把尾巴拖在厅堂上

bǎi dòng　yè gōng kàn jian le　xià de liǎn sè fā qīng　hún bù fù tǐ　huāng li huāngzhāng de
摆动。叶公看见了，吓得脸色发青，魂不附体，慌里慌张地

táo zǒu le　zhēn lóng kàn dào yè gōng jīng huáng shī cuò de yàng zi　gǎn dào hěn shī wàng　zhǐ hǎo
逃走了。真龙看到叶公惊惶失措的样子，感到很失望，只好

yòu fēi huí tiān shang qù le
又飞回天上去了。

影响孩子一生的 YING XIANG HAI ZI YI SHENG DE 300 个经典成语 GE JING DIAN CHENG YU 春卷

duì niú tán qín
对牛弹琴

春秋时期，鲁国有个名叫公明仪的音乐家，七弦琴弹得很好。有一天，他看见一头牛在屋外低头吃草，就想弹几支曲调给牛听听，看牛是否听得懂。于是，他就弹了一首曲子，那牛只是低着头吃草，一点儿也不理会。公明仪明白了，这曲调太高深，牛听不懂。

114

于是，他又另外弹了几支曲调，一会儿好像蚊子嗡嗡地叫，一会儿又好像小牛哞哞地叫。只见那牛摇着尾巴，竖起耳朵，草也不吃了，回转身子走来走去，留心地倾听。

根据这个故事，后人引出了"对牛弹琴"这个成语。

duì zhèng xià yào
对症下药

华佗是我国古代著名的医学家。他的医术很高明，讲究
从实际情况出发，根据病人的具体情况开处方。

有一次，有两个人患了头痛发热病，
一道去找华佗医治。华佗说，一个

吃发散药，一个应吃泻
药。两人很奇怪，不解地问，为何病情一样却用药不同。华
佗笑着说："一位的病是由感冒引起的，吃发散的药会好；另
一位的病是体内伤食引起的，因此应吃泻药。"果然，两人服
了各自的药，很快病都好了。人们根据这个故事，把华佗这
种看病治病的方法，叫"对症下药"。

影响孩子一生的 YING XIANG HAI ZI YI SHENG DE 300 个 经典 成语 GE JING DIAN CHENG YU 春卷

dǎ cǎo jīng shé
打草惊蛇

成语

南唐有个贪官叫王鲁。有一次,乡里百姓联名控告县衙主簿营私舞弊,贪赃受贿。状子递到了王鲁手上。王鲁一看状纸,顿时心跳加剧。原来状子上写的虽然是主簿的罪状,但件件违法的事都和他自己密切关联。

他慌张得六神无主,提笔在状子上批了八个字:"汝虽打草,吾已惊蛇。"意思是说:你们虽然告发的是我属下的主簿,可是我已经感到事态的严重,就像打草的时候,惊动了草里的蛇一样啊!

后来,人们根据这个故事,把"打草"和"惊蛇"合起来,当做一个成语。原来比喻惩治某甲,以警告某乙,后多比喻行动不缜密,致使对方有了防备。

杀鸡取卵
shā jī qǔ luǎn

有一个人，养了一只母鸡，拿母鸡下的蛋去卖钱，以此度日。有一天，那只鸡下了一个金蛋，在太阳下还闪闪发光。他可乐坏了，大声叫着："哎呀，我发财了！"

这人想："鸡肚子里一定有许多金蛋。我应该把它们都取出来。"

他找来一把刀，把母鸡杀了，剖开鸡肚子，可是鸡肚子里根本没有什么金蛋。他又小心翼翼地切开鸡胃，仍然没有金蛋。他又把鸡的五脏六腑都剖开，找了个遍，甭说是金蛋了，就是普通的鸡蛋也没有一颗。他嘴里嘟囔着："这下全完了，连一只会下蛋的鸡也没有了，以后我可怎么办呀！"

影响孩子一生的 YING XIANG HAI ZI YI SHENG DE 300 个 经典成语 GE JING DIAN CHENG YU 春卷

sǐ huī fù rán
死灰复燃

韩安国是西汉景帝时的御史大夫。他足智多谋，智勇双全。

但有一次，他触犯了国法，被押进了监狱。当时，有一个看守叫田甲，经常用言语讽刺、讥笑韩安国，并对他百般侮辱。

韩安国十分气愤，他强压心中的怒火，冷冷地对田甲说："死灰难道不会复燃吗？"

田甲毫无顾忌地答道："如果你能复燃，我就用尿浇灭它。"

成语

hòu lái　hán ān guó xíng mǎn　zuò le liáng dì nèi shǐ
后来，韩安国刑满，做了梁地内史

guān　tián jiǎ tīng shuō hòu　xià de yī shí bù zhī suǒ
官。田甲听说后，吓得一时不知所

cuò　zhǐ dé liū zhī dà jí　kě hòu lái yòu kǎo lù
措，只得溜之大吉。可后来又考虑

dào yī jiā lǎo xiǎo de ān quán　zhǐ hǎo huí lai qǐng zuì
到一家老小的安全，只好回来请罪。

tā guāng zhe shēn zi guì zài hán ān guó miàn qián　qǐng qiú
他光着身子跪在韩安国面前，请求

chǔ fá
处罚。

hán ān guó duì tā shuō　xiàn zài　sǐ huī yǐ
韩安国对他说："现在，死灰已

fù rán　nǐ kě yǐ sā niào jiāo le
复燃，你可以撒尿浇了。"

tián jiǎ tīng le　　wú yán yǐ
田甲听了，无言以

duì　xiū kuì nán dāng
对，羞愧难当。

hán ān guó bì jìng shì gè xīn
韩安国毕竟是个心

xiōng dà dù de rén　hòu lái yě jiù
胸大度的人，后来也就

ráo shù le tián jiǎ
饶恕了田甲。

chéng yǔ　sǐ huī fù rán　jiù
成语"死灰复燃"就

shì gēn jù zhè ge gù shi lái de
是根据这个故事来的。

影响孩子一生的 YING XIANG HAI ZI YI SHENG DE 300 个 经典成语 GE JING DIAN CHENG YU 春卷

有志竟成

刘秀起兵推翻了王莽政权后，建立了东汉政权，登上帝位。他为扩大统治，命大将耿弇镇压起义军。

耿弇进攻占据临淄的张步，没有取胜。自己也受伤了，但仍下令继续战斗。部下劝他，等刘秀的援军到来之后再做计议，他说："皇上驾到，我们只能宰牛备酒欢迎，怎么能把困难留给他呢！"于是倾尽全力拼死出击，终于攻下了临淄。

刘秀到临淄后，夸奖耿弇说："将军前在南阳，建此大策，常以为落落难合，有志者事竟成也。"

意思是：将军你从前在南阳建议请求平定张步，我认为你口气太大，恐怕难以成功，如今才知道有志者事竟成啊。

有备无患

yǒu bèi wú huàn

春秋时期，各诸侯国互相攻打，战事不断。

有一次，郑国攻打宋国。宋国抵挡不住，便向晋国求援。

晋国国君召集了鲁、卫、齐等11国的军队组成联军，由晋大夫魏绛率领，去攻打郑国，并包围了郑国的都城。

郑国见状，知道自己抵御不了12国的联合进攻，就向其中最强大的晋国求和。

晋国答应了，其他的国家也随之停止了战争。

郑国为了表示感谢，事后给晋国国君送去了许多礼物。晋国国君把其中的一部分送给魏绛。魏绛不肯接受，反而规劝国君："《尚书》中有几句话：'居安思危，思则有备，有备无患。'现在，大王做了多国的盟主，希望您在安逸快乐的时候，想到国家可能将会碰到的困难和危险，并做好如何应对的准备，这样才能避免酿成大的祸患。"

晋国国君认为魏绛很有政治远见，听取了他的忠告。

成语"有备无患"就是从这个故事中来的。

影响孩子一生的
YING XIANG HAI ZI YI SHENG DE
300
个经典成语
GE JING DIAN CHENG YU
春卷

成语

守株待兔
shǒu zhū dài tù

宋国有个农夫。
sòng guó yǒu gè nóng fū

有一天，他正在田里
yǒu yī tiān tā zhèng zài tián li

耕地，看见
gēng dì kàn jian

一只兔子从
yī zhī tù zi cóng

草丛里窜出来，撞
cǎo cóng li cuàn chu lai zhuàng

在田边的树桩
zài tián biān de shù zhuāng

上，昏死过去了。
shang hūn sǐ guo qu le

这个农夫兴冲冲地
zhè ge nóng fū xìng chōng chōng de

丢下农具，拾起兔子。当天晚上他吃到了兔肉，又得到一张
diū xià nóng jù shí qǐ tù zi dàng tiān wǎnshang tā chī dào le tù ròu yòu dé dào yī zhāng

兔皮，开心极了。这意外的收获使农夫想入非非："如果每
tù pí kāi xīn jí le zhè yì wài de shōu huò shǐ nóng fū xiǎng rù fēi fēi rú guǒ měi

天来这儿捡一只兔子，或吃或卖，足够养家糊口过日子了。"
tiān lái zhè er jiǎn yī zhī tù zi huò chī huò mài zú gòu yǎng jiā hú kǒu guò rì zi le

从此以后，农夫整天守在那树桩旁边，希望能再捡到
cóng cǐ yǐ hòu nóng fū zhěng tiān shǒu zài nà shù zhuāng páng biān xī wàng néng zài jiǎn dào

撞死的兔子。可是，再也没有第二只兔子撞到树上。农
zhuàng sǐ de tù zi kě shì zài yě méi yǒu dì èr zhī tù zi zhuàng dào shù shang nóng

夫的田地里却长满了杂草，庄稼也都荒芜了。
fū de tián dì li què zhǎngmǎn le zá cǎo zhuāng jia yě dōu huāng wú le

qí rén jué jīn
齐人攫金

战国时，有个齐国人非常爱财，整天想着如何不费吹灰之力得到万贯财产。可是这个愿望却总也实现不了。

有一天早晨，齐人来到市场上闲逛，突然看到有人正在卖金子，就三步并作两步地奔上前去，伸手抓了一大把，转身撒腿就跑。

卖金子的人急了，一边追赶他一边高声喊："抓强盗，抓强盗！"

路人一拥而上，把这个齐人抓住，扭送到衙门。县官审问说："你怎敢在光天化日之下抢别人的金子？"

齐人说："小人只看见金子，并没有看见有人在呀！"

影响孩子一生的 YING XIANG HAI ZI YI SHENG DE 300 个 经典 成语 GE JING DIAN CHENG YU 卷卷

成语

124

fù jīng qǐng zuì
负荆请罪

zhàn guó shí qī　　lìn xiàng rú zài wài jiāo dòu zhēng
战国时期，蔺相如在外交斗争

zhōng wéi hù le zhào guó de lì yì hé zūn yán　bèi fēng
中维护了赵国的利益和尊严，被封

wéi shàng qīng　zhí wèi jū yú lǎo jiàng lián pō zhī shàng
为上卿，职位居于老将廉颇之上。

lián pō hěn bù fú qì　zǒng xiǎng xiū rǔ tā
廉颇很不服气，总想羞辱他。

lìn xiàng rú biàn chù chù rěn ràng　huí bì lián pō
蔺相如便处处忍让、回避廉颇。

lìn xiàng rú de bù xià hěn bù lǐ jiě　shuō
蔺相如的部下很不理解，说：

nín gēn běn bù
"您根本不

yòng pà tā　nòng
用怕他，弄

de wǒ men dōu méi yǒu miàn zi
得我们都没有面子。"

lìn xiàng rú jiě shì dào
蔺相如解释道：

qiáng dà de qín guó zhī suǒ yǐ
"强大的秦国之所以

bù gǎn qīn fàn zhào guó　shì yīn
不敢侵犯赵国，是因

wei wǒ men wén chén wǔ jiàng néng
为我们文臣武将能

tóng xīn xié lì de yuán gù
同心协力的缘故。

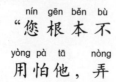
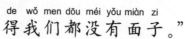

wǒ yǔ lián pō jiāng jūn hǎo bǐ shì liǎng zhī lǎo hǔ　liǎng hǔ xiāngzhēng　bì rán liǎng bài jù shāng
我与廉颇将军好比是两只老虎，两虎相争，必然两败俱伤。

wǒ zhī suǒ yǐ cǎi qǔ zhè yàng de
我之所以采取这样的

tài du　bìng bù shì jù pà tā
态度，并不是惧怕他，

ér shì kǎo lù dào guó jiā
而是考虑到国家

de ān wēi a
的安危啊！"

bù jiǔ
不久，

zhè xiē huà chuán
这些话传

dào lián pō de ěr
到廉颇的耳

duo li　tā gǎn
朵里。他感

dào jì huǐ hèn yòu cán kuì　biàn tuō xià guān yī　bēi shang jīng tiáo　lái dào lìn xiàng rú jiā li
到既悔恨又惭愧，便脱下官衣，背上荆条，来到蔺相如家里

qǐng zuì　lǎo jiāng jūn guì zài lìn xiàng rú miàn qián shuō　wǒ shì gè cū lǔ de rén　bù zhī
请罪。老将军跪在蔺相如面前说："我是个粗鲁的人，不知

dao dà rén rú cǐ kuānhóng dà liàng a
道大人如此宽宏大量啊！"

lìn xiàng rú gǎn mángchān fú qǐ lián pō　wèi tā zhè zhǒng zhī cuò jiù gǎi de jīng shén suǒ
蔺相如赶忙搀扶起廉颇，为他这种知错就改的精神所

gǎn dòng　cóng cǐ　liǎng rén jié chéng le shēng sǐ yǔ gòng de hǎo péng you　shǐ zhào guó biàn de
感动。从此，两人结成了生死与共的好朋友，使赵国变得

gèngqiáng dà le
更强大了。

影响孩子一生的
YING XIANG HAI ZI YI SHENG DE
300
个 经典成语
GE JING DIAN CHENG YU
春卷

成语

mǎi dú huán zhū
买椟还珠

chūn qiū shí　chǔ guó yǒu gè zhū bǎo shāng xiǎng jiāng zì jǐ zhēn cáng de zhēn zhū mài dào zhèng
春秋时，楚国有个珠宝商，想将自己珍藏的珍珠卖到郑

guó qù　tā zhuān mén yòng shàng děng mù liào zhì zuò le yī gè jīng zhì měi guān de hé zi　rán
国去。他专门用上等木料制作了一个精致美观的盒子，然

hòu bǎ yòu dà yòu yuán de zhēn zhū fàng jin qu　zhēn zhū xiǎn de gèng jiā míng guì le　shāng rén
后把又大又圆的珍珠放进去。珍珠显得更加名贵了。商人

lái dào zhèng guó de shì chǎng jiào mài　xī yǐn le yī gè zhèng guó rén de mù guāng　tā bù tíng
来到郑国的市场叫卖，吸引了一个郑国人的目光。他不停

de guān shǎng zhuāng zhēn zhū de mù hé zi　ná zhe zhè ge hé zi ài bù
地观赏装珍珠的木盒子，拿着这个盒子爱不

shì shǒu　zuì hòu huā gāo jià mǎi le xià lái
释手，最后花高价买了下来。

dì èr tiān　nà ge zhèng rén ná zhe zhēn
第二天，那个郑人拿着珍

zhū zhǎo dào zhè ge zhū bǎo shāng shuō　zuó tiān
珠找到这个珠宝商，说："昨天

wǒ mǎi huí hé zi　fā xiàn lǐ mian yǒu yī kē
我买回盒子，发现里面有一颗

zhēn zhū　yī dìng shì nǐ wàng zài hé zi li le
珍珠，一定是你忘在盒子里了。

wǒ xiàn zài bǎ tā huán gěi nǐ　zhè ge shāng
我现在把它还给你。"这个商

rén yuán yǐ wéi nà zhèng guó rén xǐ huan zhēn zhū
人原以为那郑国人喜欢珍珠，

shéi zhī dao tā zhǐ shì xǐ huan zhuāng zhēn zhū de
谁知道他只是喜欢装珍珠的

mù hé zi
木盒子！

江郎才尽
jiāng láng cái jìn

南北朝时候，有个名叫江淹的年轻人。他幼年家贫，父亲早丧，13岁就得靠自己打柴挣钱养活母亲。平时，江淹学习刻苦，诗词和文章都写得很好。长大以后，他的诗文深受人们的赞赏。大家都称他为"江郎"。

后来，江淹做了大官，过上了富贵荣华、权重位高的优裕生活，但却写不出什么好作品来了。人们说他"才气已尽"。据传说，一夜，江淹梦见一个自称郭璞的人对他说："我有一支笔放在你这里，能否还给我。"江淹就从怀中摸出五色笔，还给郭璞。从此，他才思突然减退，再无佳作了。

根据这个故事，人们引出了"江郎才尽"这个成语。

lǎo mǎ shí tú
老马识途

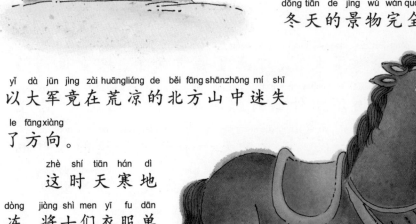

gōng yuán qián nián qí huáng gōng jiē shòu yān guó de qǐng
公元前663年，齐桓公接受燕国的请

qiú qīn zì shuài bīng gōng dǎ rù qīn yān guó de shān róng zhàn
求，亲自率兵攻打入侵燕国的山戎。战

zhēng jǐ hū dǎ le yī nián tā men chūn tiān chū fā děng
争几乎打了一年，他们春天出发，等

tā men qǔ dé shèng lì bān shī huí cháo shí yǐ jīng rù
他们取得胜利班师回朝时已经入

dōng le yīn wei chūn tiān de jǐng wù yǔ
冬了。因为春天的景物与

dōng tiān de jǐng wù wán quán bù tóng suǒ
冬天的景物完全不同，所

yǐ dà jūn jìng zài huāng liáng de běi fāng shān zhōng mí shī
以大军竟在荒凉的北方山中迷失

le fāng xiàng
了方向。

zhè shí tiān hán dì
这时天寒地

dòng jiàng shì men yī fu dān
冻，将士们衣服单

bó yòu zhǎo bu dào shuǐ yuán
薄，又找不到水源，

xǔ duō rén dōu bìng dǎo le
许多人都病倒了。

quán jūn shàng xià rén xīn huáng
全军上下人心惶

huáng　qí huáng gōng yě yōu xīn rú fén　　zhèng zài shù shǒu wú cè shí
惶，齐桓公也忧心如焚。正在束手无策时，

yī zhí chén mò bù yǔ de guǎn zhòng kāi kǒu shuō　　wǒ yǒu gè bàn fǎ
一直沉默不语的管仲开口说："我有个办法，

huò xǔ kě yǐ shì yī shì
或许可以试一试。"

kuài shuō　kuài
"快说，快

shuō　　　qí huán
说！"齐桓

gōng yǐ jīng jí bù
公已经急不

kě nài le
可耐了。

guǎn zhòng shuō　　wǒ
管仲说："我

tīng shuō lǎo mǎ shí tú　lǎo
听说老马识途。老

mǎ yǒu yī zhǒng tè xìng　　fán shì tā men zǒu guo de dào
马有一种特性，凡是它们走过的道

lù　　zǒng néng zhào zhe lái shí zǒu guo de lù tú zǒu huí qu　xiàn zài zán men kě yǐ　lì yòng yī
路，总能照着来时走过的路途走回去。现在咱们可以利用一

xià lǎo mǎ de zhì huì ya
下老马的智慧呀！"

qí huán gōng cǎi nà le guǎn zhòng de jiàn yì　　xià lìng tiāo xuǎn le jǐ pǐ lǎo mǎ　ràng tā
齐桓公采纳了管仲的建议，下令挑选了几匹老马，让它

men zài qián mian yǐn lù　　jiàng shì men zài hòu mian jǐn jǐn gēn suí zhe　　guǒ rán zài lǎo mǎ de
们在前面引路。将士们在后面紧紧跟随着。果然在老马的

yǐn lǐng xià　　dà duì rén mǎ zhōng yú zhǎo dào le huí qu de dào lù　hěn kuài huí dào le qí guó
引领下，大队人马终于找到了回去的道路，很快回到了齐国。

影响孩子一生的
YING XIANG HAI ZI YI SHENG DE
300
个 经典成语
GE JING DIAN CHENG YU
春卷

名落孙山
míng luò sūn shān

宋朝时,有个名叫孙山的书生,聪明而又幽默,是一个滑稽才子。

有一次,他和同乡邻居吴人的儿子一起进京城参加科举考试。发榜时,孙山以末名中得举人。而邻居吴人的儿子却落榜了。

孙山兴奋地打点行装准备回家,而邻居吴人的儿子留下来,打算再考一年。

孙山回到家里。吴人前来祝贺,顺便打听自己儿子是否中举。孙山便回赠了两句诗:

"解名尽处是孙山,贤郎更在孙山外。"

吴人乍一听,有些莫名其妙,仔细一琢磨,才明白过来。原来这两句诗的意思是,榜上最后一名是孙山,您的儿子名落孙山以外,也就是榜上没名,没有考取。

后来,人们便把孙山这两句诗简化为"名落孙山"这个成语了。

自相矛盾

zì xiāngmáo dùn

zhàn guó shí hou　　chǔ guó yǒu gè shāng rén　　jì mài máo yòu
战国时候，楚国有个商人，既卖矛又

mài dùn　　yǒu yī tiān　　tā ná zhe máo hé dùn dào jiē shang jiào
卖盾。有一天，他拿着矛和盾到街上叫

mài　　tā dà shēng kuā yào shuō　　wǒ de dùn shì tiān xià zuì jiān
卖。他大声夸耀说："我的盾是天下最坚

gù de dùn　　méi yǒu shén me dōng xi néng cì pò tā
固的盾，没有什么东西能刺破它！"

guò le yī huì er　　tā yòu gāo gāo jǔ qǐ
过了一会儿，他又高高举起

shǒuzhōng de máo chuī xū shuō　　zhè shì tiān
手中的矛吹嘘说："这是天

xià zuì fēng lì de máo　　méi yǒu shén me
下最锋利的矛，没有什么

dōng xi bù néng cì pò de
东西不能刺破的。"

wéi guān de rén jiàn tā zì chuī zì
围观的人见他自吹自

léi　　shuō chū de huà qián hòu dǐ chù　　dōu jué de hǎo
擂，说出的话前后抵触，都觉得好

xiào　　yǒu rén rěn bu zhù wèn dào　　rú guǒ yòng nǐ de máo qù cì nǐ de dùn　　jié guǒ huì zěn
笑。有人忍不住问道："如果用你的矛去刺你的盾，结果会怎

me yàng ne
么样呢？"

zhè ge rén bèi wèn de zhāng kǒu jié shé　　dá bu shàng lái le
这个人被问得张口结舌，答不上来了。

影响孩子一生的 YING XIANG HAI ZI YI SHENG DE 300 个 经典成语 GE JING DIAN CHENG YU 春卷

自以为是

王安石和苏轼都是北宋时期的大文学家。他们虽然政治观点不同，但私人关系却十分密切。

有一次，苏轼到王安石家中探望。不巧王安石出门了。苏轼在他的文几上发现了两句未写完的诗稿："西风昨夜达园林，吹落黄花满地金。"意思是说，昨夜一阵秋风，把园林里的黄菊吹落满地都是。

苏轼暗自发笑："黄菊开在深秋，敢与秋霜鏖战，怎么可能耐不住秋风呢？"他一时争强好胜，便续上两句，嘲笑王安石："秋花不比春花落，说与诗人仔细吟。"

后来，苏轼被贬到黄州做官，恰是深秋季节，发现"菊花栅下，只见满地铺金，枝上全无一朵"。他这才明白，自己不调查、自以为是，错的正是自己啊！

《荀子·荣辱》中有段话："凡是争斗的人总是以为自己是对的，而别人是错的。"于是后人引出"自以为是"这则成语。

hòu shēng kě wèi
后生可畏

有一天，孔子乘车出行，看见有个小孩儿在大道上用泥堆了一座城堡。自己坐在里面，也不给孔子让路。孔子问他："你为什么不给车子让路呢？"

"我只听说车子要绕城走，没有听说过城堡要让车子的！"那孩子说。

孔子赞叹道："你这么小的年纪，懂得的事真不少啊！"

那小孩儿回答："我听人说，鱼生下来三天就会游泳；兔子生下来三天就能在地里跑，这些都是很自然的事，有什么大小可言呢？"

孔子感慨地说：

"后生可畏啊，我现在才知道少年人实在了不起！"

影响孩子一生的 YING XIANG HAI ZI YI SHENG DE 300 个 经 典 成 语 GE JING DIAN CHENG YU · 春卷

bǎi bù chuānyáng

百步穿杨

chǔ guó yǒu gè zhù míng de shè jiàn shǒu míng jiào yǎng yóu jī dāng shí hái yǒu yī gè
楚国有个著名的射箭手，名叫养由基。当时还有一个
míng jiào pān hǔ de yǒng shì yě shàn cháng shè jiàn yī tiān liǎng rén zài chǎng dì shang bǐ shi
名叫潘虎的勇士，也擅长射箭。一天，两人在场地上比试
shè jiàn xǔ duō rén dōu wéi zhe guān kàn
射箭。许多人都围着观看。

bǎ zi shè zài bù wài pān hǔ lā kāi qiánggōng yī lián sān jiàn dōu zhèngzhòng bǎ
靶子设在50步外，潘虎拉开强弓，一连三箭都正中靶
xīn bó dé wéi guān de rén yī piàn hè cǎi shēng yǎng yóu jī huán shì yī xià sì zhōu zhǐ zhe
心，博得围观的人一片喝彩声。养由基环视一下四周，指着
bǎi bù yǐ wài de yī kē yáng liǔ shù jiào rén zài shù shangxuǎn yī piàn yè zi tú shanghóng
百步以外的一棵杨柳树，叫人在树上选一片叶子，涂上红
sè zuò wéi bǎ zi jiē zhe tā lā kāi gōng sōu de yī shēng shè qù jié guǒ jiàn zú
色作为靶子。接着，他拉开弓，“嗖”的一声射去，结果箭镞
zhèng hǎo guànchuān zhè piàn yáng liǔ yè de zhōng xīn
正好贯穿这片杨柳叶的中心。

zài chǎng de rén dōu jīng dāi le pān hǔ zì zhī méi yǒu zhè yàng gāo míng de běn lǐng
在场的人都惊呆了。潘虎自知没有这样高明的本领，
dàn yòu bù xiāng xìn yǎng yóu jī měi jiàn dōu néng shè chuān liǔ yè biàn zǒu dào nà kē yáng liǔ shù
但又不相信养由基每箭都能射穿柳叶，便走到那棵杨柳树
xià xuǎn zé le sān piàn yáng liǔ yè zài shàng mian yòng yán sè biān shang hào qǐng yǎng yóu jī àn
下，选择了三片杨柳叶，在上面用颜色编上号，请养由基按
biān hào cì xù zài shè
编号次序再射。

yǎng yóu jī lā kāi gōng sōu sōu sōu sān jiàn fēn bié shè zhòng le sān piàn
养由基拉开弓，“嗖”、“嗖”、“嗖”三箭，分别射中了三片
biān shang hào de yáng liǔ yè zhè yī lái hè cǎi shēng léi dòng pān hǔ yě kǒu fú xīn fú le
编上号的杨柳叶。这一来，喝彩声雷动，潘虎也口服心服了。

bǎi wén bù rú yī jiàn

百闻不如一见

西汉时，羌人入侵。宣帝召集群臣计议，询问谁愿意领兵抗击敌人。76岁的老将赵充国请战出征。宣帝问他要派多少兵马，他说："听别人讲100次，不如亲眼见一次。

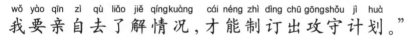

我要亲自去了解情况，才能制订出攻守计划。"

经过宣帝同意，赵充国带一队人马出发了。他详细察看地形，并了解敌人的内部情况，然后制订出屯兵把守、整治边境内外、分化瓦解羌人的策略，上奏宣帝，从而很快平定了西北边疆。

后来，人们把赵充国的"听100次，不如自己看见一次"，简化为"百闻不如一见"这则成语。

影响孩子一生的 YING XIANG HAI ZI YI SHENG DE 300 个经典成语 GE JING DIAN CHENG YU 春卷

扣盘扪烛

kòu pán mén zhú

从前有个盲人，有一天，他问邻居："太阳到底是个啥样子？"邻居正好拿着一个铜盘，就敲了敲对盲人说："太阳圆圆的，就像这个铜盘子。"

过了几天，盲人在路上走，突然听见"当当"的响声，就兴奋地大声说："这是太阳啊！我听到太阳的声音了！"路上的行人便告诉他说："这是敲钟的声音，太阳没有声音。"盲人拉住路人的衣服，追问太阳的样子。这个路人说："太阳像这支蜡烛一样会发光。你摸一摸，这就是蜡烛。"行人拿出一枝蜡烛，让盲人摸了摸。盲人点点头说："我明白了，原来太阳是这样的！"

过了不久，盲人在家里摸到了一枝竹笛子，它的形状像蜡烛。于是，盲人惊奇地嚷起来："我摸到太阳了，我的家里有一个太阳！"邻居们听见便跑来看，原来是一枝竹笛子。大家都哄堂大笑起来。

争先恐后

zhēng xiān kǒng hòu

春秋时期，晋国有个著名的驾驭能手叫王子期。有一次，赵襄子向他学习驾车技术，学习没多久，就要与王子期比个高低。结果，他接连换了三次马，还是被王子期远远落在后面。

赵襄子不高兴地说："你没有把驾车的技术都教给我！"

王子期回答："我毫无保留地把技术全部传授给您了，但您在运用上有毛

病：在比赛中，当您跑在前面的时候怕我赶上，当您落在后面的时候又拼命想追上我，总是把注意力放在我身上，试问您哪里还有心思来驾车呢？这就是您落后的原因。"

根据这个故事，人们引出了"争先恐后"这个成语。

影响孩子一生的 YING XIANG HAI ZI YI SHENG DE 300 个经典成语 GE JING DIAN CHENG YU 春卷

huì jí jì yī
讳疾忌医

yǒu yī cì　　biǎn què cháo jiàn guó jūn
有一次，扁鹊朝见国君

cài huángōng　jīng guò guān chá　duì tā shuō
蔡桓公，经过观察，对他说：

nín yǐ jīng dé bìng le　　bù guò bìng zài pí
"您已经得病了，不过病在皮

fū　jí shí zhì liáo　dìng huì kāng fù
肤，及时治疗，定会康复。"

cài huángōng bù xiāng xìn　biǎn què zǒu
蔡桓公不相信。扁鹊走

hòu　cài huángōng duì zhòng rén shuō　zài yī
后，蔡桓公对众人说："在医

shēng de yǎn li shéi dōu yǒu bìng　cái xiǎn shì
生的眼里谁都有病，才显示

tā men yǒu běn shi
他们有本事。"

tiān yǐ hòu　biǎn què yòu lái kàn cài
10天以后，扁鹊又来看蔡

huángōng shuō　nín de bìng fā zhǎn dào jī ròu le　bì xū mǎ shàng zhì liáo　fǒu zé huì gèng
桓公，说："您的病发展到肌肉了，必须马上治疗，否则会更

yán zhòng
严重。"

qí shí　cài huángōng yǐ gǎn dào shēn tǐ bù shū fu le　dàn tā jué de biǎn què shuō de
其实，蔡桓公已感到身体不舒服了，但他觉得扁鹊说得

guò fèn le　jiù méi yǒu lǐ tā
过分了，就没有理他。

yòu guò le　duō tiān　biǎn què zài cì lái kàn cài huán gōng shuō　nín de bìng yǐ
又过了10多天，扁鹊再次来看蔡桓公，说："您的病已

经到肠胃了，很危险，但是马上医治还有希望！”

蔡桓公仍然不理他，而且生气了。

10多天后，扁鹊又来看蔡桓公。只望了一眼，扭头就走。蔡桓公感到奇怪，派人去追问。扁鹊说："一个人生了病，如果病在皮肤、肌肉、肠胃，都有办法医治，但是病到骨髓里就没有办法医治了。现在，大

王的病已经到了骨髓，我实在没有能力治好他，只好走了。"

又过了几天，蔡桓公全身疼痛难忍，派人去找扁鹊。可是，扁鹊早就跑到了秦国。没过几天蔡桓公就死了。

影响孩子一生的 YING XIANG HAI ZI YI SHENG DE 300个经典成语 GE JING DIAN CHENG YU 春卷

wēi rú lěi luǎn
危如累卵

chūn qiū shí qī　　jìn líng gōng yào xiū jiàn yī zuò guī mó páng dà de jiǔ céng gāo tái
春秋时期，晋灵公要修建一座规模庞大的九层高台。

lǎo chén xún xī wèi le quàn zǔ jìn líng gōng　　jiù xiǎng chū le yī gè bàn fǎ　　tā jìn
老臣荀息为了劝阻晋灵公，就想出了一个办法。他进

gōng qiú jiàn jìn líng gōng　　bǎ　　kē qí zǐ píng pū zài zhuō zi shang　　dā chéng le yī gè píng
宫求见晋灵公。把12颗棋子平铺在桌子上，搭成了一个平

tái　　zài bǎ wǔ gè jī dàn shù zài shàngmian　　duī chéng dì èr céng　　rán hòu yòu zài wǔ gè jī
台；再把五个鸡蛋竖在上面，堆成第二层；然后又在五个鸡

dàn shàng mian fàng shang le sān gè jī dàn　　duī chéng le dì sān céng　　jī dàn yòu huá yòu yuán
蛋上面放上了三个鸡蛋，堆成了第三层。鸡蛋又滑又圆，

bù xiǎo xīn huì gǔn xia lai zuì hòu tā yòu bǎ yī gè jī dàn fàng zài sān gè jī dàn shang zhè
不小心会滚下来，最后他又把一个鸡蛋放在三个鸡蛋上。这

shí jī dàn zài qí zǐ shàngmian yáo yáo huàng huàng
时，鸡蛋在棋子上面摇摇晃晃，

suí shí dōu huì tā xia lai
随时都会塌下来。

jìn líng gōng jīn bu zhù hǎn le qǐ
晋灵公禁不住喊了起

lái tài wēi xiǎn le
来："太危险了！"

xún xī màn tiáo sī lǐ de shuō
荀息慢条斯理地说：

zhè hái bù suàn wēi xiǎn bǐ zhè gèng wēi
"这还不算危险，比这更危

xiǎn de shì qing yě yǒu ne
险的事情也有呢！"

jiē zhe tā yǐn rù zhèng tí shuō dà wáng yào xiū jiàn jiǔ céng gāo tái jiāng huì zào chéng
接着，他引入正题说："大王要修建九层高台，将会造成

guó kù kōng xū bǎi xìng yuànshēng zài dào de jú miàn rú guǒ zhè shí lín guó chéng jī qián lái
国库空虚，百姓怨声载道的局面。如果这时，邻国乘机前来

jìn fàn wǒ men de guó jiā jiù lí miè wáng bù
进犯，我们的国家就离灭亡不

yuǎn le zhè bù shì bǐ wēi rú lěi luǎn gèng yán
远了！这不是比危如累卵更严

zhòng ma
重吗？"

jìn líng gōng tīng le fān rán měng xǐng mǎ
晋灵公听了，翻然猛醒，马

shàng xià lìng qǔ xiāo le jiàn zào jiǔ céng gāo tái de
上下令取消了建造九层高台的

jì huà
计划。

影响孩子一生的 YING XIANG HAI ZI YI SHENG DE 300 个经典成语 GE JING DIAN CHENG YU 春卷

成语

yīn shì lì dǎo
因势利导

zhàn guó shí　sūn bìn hé páng juān céng zài yī qǐ xué xí bīng fǎ
战国时,孙膑和庞涓曾在一起学习兵法。

páng juān hòu lái zài wèi guó zuò le jiāng jūn　tā jì dù sūn bìn de cái néng　biàn xiǎng
庞涓后来在魏国做了将军。他忌妒孙膑的才能,便想

fāng shè fǎ xiàn hài sūn bìn　jìng zhǎn duàn le sūn bìn de zuǒ yòu xī gài gǔ　bìng zài tā de liǎn
方设法陷害孙膑,竟斩断了孙膑的左右膝盖骨,并在他的脸

shang cì zì　shǐ sūn bìn zhōng shēn zhì cán
上刺字,使孙膑终身致残。

qí guó de shǐ chén lái dào wèi guó　sūn bìn yǐ zuì fàn de shēn fen tōu tōu de huì jiàn
齐国的使臣来到魏国。孙膑以罪犯的身份偷偷地会见

qí guó de shǐ zhě　qí guó de shǐ zhě kàn tā què shí shì gè qí cái　jiù qiāo qiāo de ràng
齐国的使者。齐国的使者看他确实是个奇才,就悄悄地让

sūn bìn zuò jìn zì jǐ de mǎ chē　yī
孙膑坐进自己的马车,一

qǐ dào le qí guó　bìng bǎ sūn bìn jiè
起到了齐国,并把孙膑介

shào gěi qí guó de dà jiàng tián jì
绍给齐国的大将田忌。

tián jì bǎ sūn bìn zuò wéi guì bīn
田忌把孙膑作为贵宾

kuǎn dài　bìng jiāng tā tuī jiàn gěi
款待,并将他推荐给

qí wēi wáng　wēi wáng fēi cháng
齐威王。威王非常

qì zhòng tā
器重他。

yǒu yī cì　qí wēi wáng pài tián
有一次,齐威王派田

jì wéi jiàng　sūn bìn wéi jūn shī shuài bīng
忌为将,孙膑为军师率兵

gōng dǎ wèi guó
攻打魏国。

sūn bìn duì tián jì shuō　　shàn zhàn zhě
孙膑对田忌说："……善战者
yīn qí shì ér lì dǎo zhī　　yì si shì shuō
因其势而利导之……"意思是说，
huì dǎ zhàng de rén　　yào shùn zhe shì wù de fā zhǎn
会打仗的人，要顺着事物的发展
qū shì　jiā yǐ yǐn dǎo　jiē zhe　sūn bìn yòu xiàn
趋势，加以引导。接着，孙膑又献
jì shuō　　wǒ men yīng dāng jiǎ zhuāng bài tuì　yòu shǐ
计说："我们应当假装败退，诱使
wèi jūn qīng jǔ wàng jìn
魏军轻举妄进。"
yú shì　　jìn rù wèi guó hòu　tā
于是，进入魏国后，他
men jiù mìng lìng bù duì měi tiān jiǎn shǎo zuò
们就命令部队每天减少做

fàn de lú zào　　páng juān gēn zài qí
饭的炉灶。庞涓跟在齐
jūn hòu mian zhuī le sān tiān　jiàn qí jūn
军后面追了三天，见齐军
de lú zào yuè lái yuè shǎo　jiù yǐ wéi
的炉灶越来越少，就以为
qí jūn shì bīng yǐ dà liàng táo pǎo　biàn
齐军士兵已大量逃跑，便
zhǐ dài zhe tā de qīng zhuāng bù duì pīn mìng zhuī
只带着他的轻装部队拼命追

gǎn　jié guǒ zài dì xíng xiǎn è de mǎ líng zāo dào qí jūn fú jī　　wèi jūn dà bài páng juān
赶，结果在地形险恶的马陵遭到齐军伏击。魏军大败，庞涓
bèi pò zì shā ér sǐ
被迫自杀而死。
gēn jù zhè ge gù shi　hòu rén jiù yǐn chū le　yīn shì lì dǎo　zhè ge chéng yǔ
根据这个故事，后人就引出了"因势利导"这个成语。

影响孩子一生的
YING XIANG HAI ZI YI SHENG DE
300
个 经 典 成 语
GE JING DIAN CHENG YU
春卷

因地制宜
yīn dì zhì yí

chūn qiū mò nián，wǔ zǐ xū shòu dào wú wáng hé lú de qì zhòng
春秋末年，伍子胥受到吴王阖闾的器重。

yī cì，hé lú wèn wǔ zǐ xū："wǒ xiǎng ràng guó jiā qiáng dà，chēng bà yú shì，bù
一次，阖闾问伍子胥："我想让国家强大，称霸于世，不

zhī gāi zěn yàng zuò？" wǔ zǐ xū shuō："yào xiǎng shǐ guó jiā fù qiáng，zhū hóu chén fú，děi
知该怎样做？"伍子胥说："要想使国家富强，诸侯臣服，得

yī bù yī bù de lái。shǒu xiān，yào xiū zhù gāo dà de chéng qiáng，jiā qiáng fáng yù de néng
一步一步地来。首先，要修筑高大的城墙，加强防御的能

lì；qí cì，yào jiā qiáng zhàn bèi，duō zào yī xiē jīng liáng de wǔ qì；dì
力；其次，要加强战备，多造一些精良的武器；第

sān，yào dà lì fā zhǎn nóng yè shēng chǎn，shǐ liáng shi chǔ bèi chōng zú。"
三，要大力发展农业生产，使粮食储备充足。"

wú wáng tīng le wǔ zǐ xū de huà，
吴王听了伍子胥的话，

lián shēng chēng "hǎo"。rán hòu tā bǔ chōng
连声称"好"。然后他补充

dào："xiū zhù chéng qiáng，jiā qiáng zhàn bèi，fā
道："修筑城墙，加强战备，发

zhǎn nóng yè，guǎng jī liáng cǎo，zhè xiē dōu yào
展农业，广积粮草，这些都要

gēn jù shí jì qíng kuàng zhì dìng xiāng yìng de cuò
根据实际情况制订相应的措

shī，yī bù yī bù de qù luò shí。"
施，一步一步地去落实。"

chéng yǔ "yīn dì zhì yí" jiù
成语"因地制宜"就

shì cóng wú wáng de zuì hòu yī jù huà yǎn huà chéng de。
是从吴王的最后一句话演化成的。

完璧归赵

wán bì guī zhào

战国时，赵国有一块价值连城的美玉——"和氏璧"。秦昭王说，愿意出15座城池的高价换取这块稀世之宝。蔺相如自告奋勇愿意出使秦国。

蔺相如来到秦国，向秦王献上和氏璧，看到秦王只顾欣赏玉璧，根本无意交城，就说："这璧上有一处瑕疵，让我指给您看。"秦王信以为真，便把玉璧交还给蔺相如。

蔺相如退到柱子旁，举起和氏璧说："既然大王真心实意，就要斋戒五日，并在正殿举行仪式，才可以把璧献出。如果大王逼迫，我宁愿和璧一起撞碎在柱子上。"秦王连忙答应蔺相如，并安排他住在驿馆。当晚，蔺相如派人从小道将和氏璧送回赵国。

五天后，蔺相如上殿说："大王，我已将和氏璧送回赵国，请先交出15座城池，再双手奉上和氏璧。"秦昭王听后大怒，可是也只好放了他。蔺相如完成了任务，安全回到赵国。

根据这个故事，就引出了成语"完璧归赵"。

影响孩子一生的 YING XIANG HAI ZI YI SHENG DE 300 个经典成语 GE JING DIAN CHENG YU 春卷

防微杜渐

fáng wēi dù jiàn

东汉和帝时，窦太后掌握了朝廷的大权，于是，窦宪兄弟二人仗势欺人，经常做一些非法的坏事。

朝廷中的官员都害怕窦氏兄弟的权势，对他们的违法乱纪行为敢怒却不敢言。有的人甚至还对窦宪兄弟阿谀奉承，溜须拍马，搞得朝廷中一片黑暗。

有一位官员叫丁鸿，对窦宪兄弟俩的行为极其不满，总想找机会上书给皇帝。

恰好在某一天里发生了日食，古代的人们认为日食是很不吉利的，以为将有什么大事要发生。借着这个机会，丁鸿上书皇帝，说："日为君，月为臣，月掩盖了日，表明有臣子想夺皇上的权。现在，窦氏兄弟的权力很大，我希望皇上能亲自处理国家大事，防微杜渐。那么，把坏事连根拔除了，好事就会接连而来的。"

后来，"防微杜渐"就被引为成语，意思是说当隐患或错误刚露头的时候，就要加以防止，不让它发展下去。

呆若木鸡

dāi ruò mù jī

春秋时期，社会上流行斗鸡的娱乐活动。有一个姓纪的人，善于训练斗鸡，非常有名，于是齐国的国君请他到宫中训练斗鸡。

刚训练了10天，齐王问："是否训练好了？"

他答："这只鸡的性情很骄傲，还差得远着呢！"

一个月过去了。齐王又派人来催问，这位纪君说："这只鸡的意气过于强盛，心神又太激动、浮躁，还需要训练。"

到了40天时，纪君告诉齐王，斗鸡已经训练好了。他说："现在这只鸡的心神非常安定，听到别的鸡鸣叫就好像没听到一样，乍看上去像只木头鸡，实际上镇定专注。这样的鸡才能百斗百赢啊！"果然，在参加比赛时，这只鸡几乎每场必胜。

影响孩子一生的
YING XIANG HAI ZI YI SHENG DE
300
个经典成语
GE JING DIAN CHENG YU
春卷

bié kāi shēngmiàn
别开生面

cháng ān běi miàn de tài jí gōngzhōng yǒu yī zuò zhù míng de líng yān gé gé
长安北面的太极宫中，有一座著名的凌烟阁。阁
nèi sì bì shang huì yǒu táng cháo wèi kāi guó gōngchén de xiào xiàng yóu yú nián dài jiǔ
内四壁上绘有唐朝24位开国功臣的肖像，由于年代久
yuǎn yǐ jīng shī qù le dāng nián de guāng cǎi yǒu de shèn zhì hái nán yǐ biàn rèn
远，已经失去了当年的光彩，有的甚至还难以辨认。
yú shì táng xuán zōng zhào lái dāng shí zhù míng de huà jiā cáo bà qǐng tā chóng xīn
于是，唐玄宗召来当时著名的画家曹霸，请他重新
huà guo cáo bà jīng xīn gòu sī zhōng yú shǐ wèi gōngchén de xiào xiàng yǐ zhǎn xīn
画过。曹霸精心构思，终于使24位功臣的肖像以崭新

de miàn mào zhǎn xiàn zài shì rén miàn qián
的面貌展现在世人面前。
dù fǔ zhī dao hòu xiě le yī shǒu
杜甫知道后，写了一首
shī zèng gěi tā shī zhōng yǒu zhè yàng liǎng jù
诗赠给他。诗中有这样两句：
líng yān gōngchén shǎo yán sè jiāng
"凌烟功臣少颜色，将
jūn xià bǐ kāi shēngmiàn
军下笔开生面。"
zhè liǎng jù shī de yì si shì líng
这两句诗的意思是：凌
yān gé zhōng gōngchén xiàng yǐ shī qù le wǎng
烟阁中功臣像已失去了往
rì xiān yàn duó mù de sè zé kuī de nǐ
日鲜艳夺目的色泽，亏得你
zuǒ wǔ wèi jiāng jūn xià bǐ shǐ tā men chóng fàng guāng cǎi
左武卫将军下笔使它们重放光彩。
bié kāi shēngmiàn zhè zé chéng yǔ jí shì yóu cǐ ér lái de
"别开生面"这则成语即是由此而来的。

别有天地

李白是我国唐代最伟大的诗人之一。

42岁那年，他被唐玄宗任命为御用文官。李白性情孤傲，在皇帝和权贵面前没有丝毫媚态，因而遭到高力士等人的诽谤和诬陷，逐渐不受唐玄宗信任。

离开长安后，李白开始了10年的漫游生活。由于在现实生活中屡遭挫折，他产生了求仙访道的想法，希望摆脱丑恶的现实，追求美好的生活。他作了一首《山中问答》：

问余何意栖碧山，笑而不答心自闲。

桃花流水杳然去，别有天地非人间。

诗的大意是：问我为什么住在苍松翠柏的碧山中，我笑而不答心中悠闲自得。飘落的桃花随着流水漂向远方，此情此景别有趣味，绝不是人间所能有的。

后来，人们把李白在诗中所追求的美好境界概括为"别有天地"，当做成语形容美好的地方。

影响孩子一生的 300 个经典成语 · 春卷

tóu bǐ cóngróng
投笔从戎

东汉的班超从小就立下报效国家的远大志向。班超的哥哥班固在朝廷做校书郎。班超就帮着哥哥做一些抄写工作。有一天，他听说匈奴不断侵扰边疆，就扔了笔，气愤地说："大丈夫纵无其他志向，也该学张骞，到远方为国建功，怎能老死在这书房里呢？"

公元73年，班超放下笔参了军，领兵出征，立下了赫赫战功。后来，他又多次出使西域，凭借自己的智慧和英勇，使西域各国摆脱了匈奴贵族的奴役和压迫，为西域与内地的经济文化交流做出了重大贡献。

根据这个故事，人们就引出了"投笔从戎"这个成语。

投鼠忌器

贾谊是西汉时期的著名文学家，有一次他给汉景帝讲了一个故事：

一天晚上，一对夫妻刚刚躺下。老鼠就从洞穴里跑了出来，在厨房里找到了一锅卤味。不料，它不小心碰到了锅盖。那响声惊醒了主人，男主人便拿起一根木棒要打老鼠，妻子急忙说："小心呀！千万不要打碎了米缸！"

男主人抡起木棒，一下子打死了那老鼠。他说："如果怕打碎米缸，就别想打死老鼠！"

贾谊继续说："这个故事的名字就叫'投鼠忌器'。现在，接近皇上的权贵专横不法，欺压百姓，没有人敢检举他们。法律、刑罚对这些人不起作用，是因为尊重陛下的缘故，正所谓'投鼠忌器'。因此您应该远离小人，要用制度和法律约束他们，这样才不会损害皇上的尊严啊！"

汉景帝听了，连连称是，非常赞成贾谊的主张。从此以后，他严肃法纪，重用贤人，把国家治理得井井有条。

影响孩子一生的 YING XIANG HAI ZI YI SHENG DE 300 个经典成语 GE JING DIAN CHENG YU 春卷

杞人忧天
qǐ rén yōu tiān

古时候，杞国有个人，总是忧愁天会崩塌下来，地会陷落下去。他的朋友看见他整天这么胡思乱想，就开导他说："天空只是由很厚的大气聚集而成的，怎么会掉下来呢？放心吧，天不会掉下来的。"

杞人更忧愁了："既然天空是一股气，那么太阳、月亮、星星掉下来怎么办呀？我就曾看见一颗星星划过夜空不知坠到哪里去了。"朋友说："日月星辰也是由大气积聚而成的会发光的东西，即使坠下来，也打不着人。"

杞人又问："那么，地陷下去又怎么办呢？朋友说："地是厚实的泥土石块，不会陷下去。"

杞人听了这番话，总算放了心。

迎刃而解
yíng rèn ér jiě

晋朝时，杜陵人杜预曾统率大军南征北战，立下了汗马功劳。后来，他被封为镇南大将军。

有一年，杜预领命率军攻打吴国，十几天内打了好几个胜仗，攻占了许多城池。

这时，有人提出应该收兵了，理由是：吴国是大国，不可能一下子被消灭掉。

现在又赶上是夏天，雨季来临，河水泛滥，不便于大部队行军打仗，还是等到明年春天再攻打为好。

但杜预坚持要打下去。

他对晋武帝说："我们如今已打了几个胜仗，士气正旺，应乘胜追击。打仗就跟用刀破开竹子一样，起初很难劈，但只要开了头，破了节，下面的事情就会迎刃而解了。"

晋武帝听了，觉得很有道理，便听从了杜预的意见。于是，杜预领兵继续进攻，不久，便灭了吴国。

后来，人们就根据这个故事引申出成语"迎刃而解"。

影响孩子一生的 YING XIANG HAI ZI YI SHENG DE 300 个经典成语 GE JING DIAN CHENG YU 伟卷

成语

志在四方
zhì zài sì fāng

春秋时，晋献公的儿子重
chūn qiū shí jìn xiàn gōng de ér zi chóng

耳和夷吾受到陷害，逃亡出
ěr hé yí wú shòu dào xiàn hài táo wáng chū

国。晋献公死后，
guó jìn xiàn gōng sǐ hòu

夷吾回国做了国君。他害怕
yí wú huí guó zuò le guó jūn tā hài pà

重耳回来争夺王位，便派人去刺杀
chóng ěr huí lai zhēng duó wáng wèi biàn pài rén qù cì shā

重耳。重耳得知这个消息后，历尽艰险，逃到了齐国。齐
chóng ěr chóng ěr dé zhī zhè ge xiāo xi hòu lì jìn jiān xiǎn táo dào le qí guó qí

桓公对重耳以及追随他的子犯、赵衰、狐偃等人都十分优
huáng gōng duì chóng ěr yǐ jí zhuī suí tā de zǐ fàn zhào shuāi hú yǎn děng rén dōu shí fēn yōu

待，还把一个本家姑娘齐
dài hái bǎ yī gè běn jiā gū niang qí

姜嫁给了重耳。
jiāng jià gěi le chóng ěr

chóng ěr zài qí guó yī zhù jiù shì qī nián   rì zi guò de hěn shū fu   yīn cǐ tā yě bìng bù
重耳在齐国一住就是七年，日子过得很舒服，因此他也并不

xiǎng zài huí jìn guó qù le
想再回晋国去了。

qí jiāng shì gè nǚ zhōng háo jié   xī wàng zhàng fu néng zuò yī fān dà shì yè   yǒu yī
齐姜是个女中豪杰，希望丈夫能做一番大事业。有一

cì tā duì chóng ěr shuō   gōng zǐ   nǐ yǒu yuǎn dà de zhì xiàng   wǒ hěn gāo xìng   nǐ zǒu
次，她对重耳说："公子，你有远大的志向，我很高兴。你走

ba   nán zǐ hàn dà zhàng fu zǒng děi
吧！男子汉大丈夫总得

zuò yī fān shì yè   liú liàn qī zi hé
做一番事业，留恋妻子和

tān tú ān yì de shēng huó shì méi yǒu
贪图安逸的生活是没有

chū xi de
出息的！"

chóng ěr tīng le hěn jīng yà
重耳听了很惊讶，

shuō   kě shì wǒ bìng méi yǒu dǎ suan
说："可是我并没有打算

lí kāi nǐ   lí kāi qí guó ya
离开你，离开齐国呀。"

qí jiāng tīng le   zhī dao chóng
齐姜听了，知道重

ěr bù xiǎng zǒu   jiù hé zǐ fàn shāng
耳不想走，就和子犯商

liang le yī gè jì cè   yòng jiǔ bǎ chóng ěr guàn zuì hòu   jiāng tā sòng chū le qí guó
量了一个计策，用酒把重耳灌醉后，将他送出了齐国。

hòu lái chóng ěr zài   suì shí zhōng yú huí dào jìn guó dāng shang le jìn guó de guó
后来，重耳在62岁时，终于回到晋国，当上了晋国的国

jūn   shǐ chēng jìn wén gōng
君，史称晋文公。

影响孩子一生的
YING XIANG HAI ZI YI SHENG DE
300
个 经 典 成 语
GE JING DIAN CHENG YU
春卷

155

gèngshàng yī céng lóu
更上一层楼

成语

156

táng cháo shí　yǒu gè zhù míng de guān jǐng shèng dì　míng jiào guàn què lóu　zhè zuò lóu gòng
唐朝时，有个著名的观景胜地，名叫鹳雀楼。这座楼共

yǒu sān céng　nán wàng gāo sǒng de zhōng tiáo shān　fǔ kàn bō làng tāo tāo de huáng hé　qì shì yì
有三层，南望高耸的中条山，俯瞰波浪滔滔的黄河，气势异

cháng xióng wěi zhuàng guān
常雄伟壮观。

yī tiān　zhù míng de shī rén wáng zhī huàn dēng shang guàn què lóu　jí mù yuǎn tiào　zǔ guó
一天，著名的诗人王之涣登上鹳雀楼，极目远眺，祖国

xióng wěi zhuàng lì de hé shān jìn shōu yǎn dǐ　shī rén gǎn kǎi wàn qiān　yú shì huī bǐ xiě le
雄伟壮丽的河山尽收眼底。诗人感慨万千，于是挥笔写了

yī shǒu shī，tí wèi　dēng guàn què lóu
一首诗，题为《登鹳雀楼》：

bái rì yī shān jìn，huáng hé rù hǎi liú
白日依山尽，黄河入海流。

yù qióng qiān lǐ mù　gèng shàng yī céng lóu
欲穷千里目，更上一层楼。

shī de dà yì shì shuō　shī rén dēng
诗的大意是说，诗人登

shang guàn què lóu　zhǐ jiàn xī yáng yán zhe
上鹳雀楼，只见夕阳沿着

yuǎn shān xú xú chén luò　xiōng yǒng péng pài de
远山徐徐沉落，汹涌澎湃的

huáng hé bēn téng liú xiàng dà hǎi　qì shì páng bó　yào xiǎng
黄河奔腾流向大海，气势磅礴。要想

yuǎn kàn qiān lǐ zhī kuò　bì xū zài gāo dēng yī céng lóu
远看千里之阔，必须再高登一层楼。

zhè shǒu shī liú chuán hěn guǎng　hòu rén biàn bǎ　gèng shàng yī céng lóu　yǐn shēn wéi chéng yǔ
这首诗流传很广，后人便把"更上一层楼"引申为成语。

弄巧成拙
nòng qiǎo chéng zhuō

北宋时，有一位画家叫孙知微。有一次，成都寿宁寺请他为寺院画一幅《九曜图》。他画好草图后，因为临时有事儿，所以就对弟子们说："剩下着色的工作，由你们几个人来完成，一定要认真画好这幅作品。"

老师走了之后，这几个弟子开始上色，突然发现画中水星菩萨身旁的侍从童子拿着的花瓶中空无一物。一位名叫童仁益的说："老师一定是忘了画上花朵了，让我们来添上吧！"

大家都赞成他的意见。于是，就用心地画了一朵鲜艳的莲花。第二天，孙知微回来，第一件事就是检查学生们的任务。当他发现那侍从童子手里的水瓶里多出来一枝莲花时，气坏了，问："是谁添了这枝莲花？"

童仁益说："是我提议添的，大家认为添上莲花更好看。"

孙知微说："你们这是弄巧成拙啊！《道经》中说，水星菩萨的水晶瓶是用来降妖伏魔的宝瓶。如果添上花，它就不是神物了。这幅画让你们给毁了！"

影响孩子一生的
YING XIANG HAI ZI YI SHENG DE
300 个 经典成语 GE JING DIAN CHENG YU
春卷

guò mén bù rù
过门不入

禹是鲧的儿子。尧命鲧治水，鲧因治水未成被处死。

尧让位给舜后，舜命禹继续治水。禹不辞劳苦，直到30

岁才草草结了婚。婚后才四天，禹又走了。禹为了治水，几

次到过家乡，而且曾经三次经过自己的家门，可是都没有时

间进去看看。禹说："时间宝贵，即使是短短的一寸光阴，也

要爱惜呀！"

大禹三过家门而不入的

故事，被人们所传颂，后来就

简化为"过门不入"，来比喻一心为公。

两败俱伤
liǎng bài jù shāng

陈轸是战国时期一位很有名的说客。有一次,他出使秦国,给秦惠文王讲了一个故事:

卞庄子看见两只老虎在撕咬一头牛,就想拔剑去收拾它们。旁边的人见了,忙拉住他说:"两只老虎这会儿吃得正香,但吃到最后,所剩不多时,就会争斗起来,必有死伤,那时再刺虎不迟啊!"

卞庄子觉得这话有理,便耐心地躲在远处观察着两只虎。不一会儿,两只虎果然相斗起来,小虎被咬死,大虎也受了伤。于是,卞庄子提剑冲上去,轻而易举地刺死了受伤的大虎。

陈轸讲完了故事,对秦王说:"现在韩国和魏国打仗,就像两只老虎相争一样,必定元气大伤。秦国如能等到那时出兵,就会像卞庄子一样取得最后的胜利。"

秦惠文王采纳了陈轸的意见,最后果然取得了胜利。

两袖清风

liǎng xiù qīng fēng

明朝的民族英雄和诗人于谦非常有才华，深得明宣宗的赏识，破格提升他为河南、山西巡抚。

当时，外省官员进京朝见皇帝或办事，都要贿赂朝中权贵，否则寸步难行。

于谦从外地回京时，他的幕僚们建议他买些蘑菇、绢帕、线香之类的土特产送送礼，孝敬权贵，疏通关系。

于谦听了，哈哈大笑，随即提笔赋诗道：

绢帕蘑菇与线香，本资民用反为殃。

清风两袖朝天去，免得闾阎话短长。

意思是说：绢帕、麻菇、线香本是百姓用品，现在反而成为祸害；我去朝见天子只带两袖清风，免得让别人说闲话。

人们佩服于谦刚正直率、公正无私的性格，后来就用"两袖清风"来形容一个人的清廉高尚。久而久之就成了成语和典故了。

yán guò qí shí
言过其实

三国时期，诸葛亮十分器重马谡。但是刘备在临终前却对诸葛亮说："马谡言过其实，不可大用。"

诸葛亮没有重视刘备的遗言，对马谡委以重任，命令他把守街亭。出发前，诸葛亮再三叮嘱马谡，一定要把营寨扎在道路中间。

马谡到了街亭之后，并没有执行诸葛亮的部署。他骄傲轻敌，不听别人的劝告，最后被魏军老将司马懿用计打败。魏军轻而易举地通过了街亭。

街亭失守，断了蜀军运粮的通道。诸葛亮后悔没有听刘备的话，使蜀军陷入了危险的境地，他只好挥泪斩了马谡。

影响孩子一生的 YING XIANG HAI ZI YI SHENG DE 300 个 经典成语 GE JING DIAN CHENG YU · 春卷

yán tīng jì cóng
言听计从

楚汉相争期间，汉王刘邦手下的大将韩信，英勇善战，一举击败了项羽的20万大军。楚王项羽损兵折将，便派一个名叫武涉的谋士，去游说韩信。

武涉对韩信说："刘邦是不可信赖的，你又何必为他效犬马之劳呢？你与楚王本来就有老关系，何不与楚国联合，攻打汉王，这样天下便可三足鼎立，互相抵制。"

韩信听了这番话，笑着说："我当初之所以投靠汉王刘邦，正是因为楚王的缘故。楚王听信谗言，我多次出谋划策，他都不听。我走到今天这个地步，也是被逼无奈。不过汉王对我如同亲兄弟，十分信任我，授予我上将军的职位，调拨几十万人的军队让我指挥。我的每个主张都被采纳，言听计从。我若背叛汉王是不道义的，即使是死也不改变了！"

韩信一番言辞恳切的话语，使武涉再也开不了口，只得悻悻而归。

ǒu xīn lì xuè
呕心沥血

táng cháo de qīng nián shī rén lǐ hè shì yī gè gǎn qíng fēng fù chuàng zuò rèn zhēn kè kǔ de

唐朝的青年诗人李贺是一个感情丰富、创作认真刻苦的

shī rén lǐ hè zuò shī zhù zhòng shí dì kǎo chá jī lěi zī liào tā jīng cháng qí shang mǎ

诗人。李贺作诗注重实地考察，积累资料。他经常骑上马，

yī biān zǒu yī biān guān chá gòu sī yù dào hǎo de tí cái suí jí xiě chéng shī jù fàng jìn

一边走一边观察构思，遇到好的题材，随即写成诗句，放进

shū náng li lǐ hè de mǔ qīn hěn xīn téng tā suǒ yǐ měi tiān lǐ hè huí jiā biàn ràng bì

书囊里。李贺的母亲很心疼他，所以每天李贺回家，便让婢

nǚ chá kàn tā de shū náng rú guǒ fā xiàn lǐ mian xiě de shī jù tài duō jiù huì shēng qì de

女查看他的书囊，如果发现里面写的诗句太多，就会生气地

shuō nǐ zhè hái zi yào bǎ xīn ǒu chu lai cái bà xiū ma

说："你这孩子，要把心呕出来才罢休吗？"

lǐ hè yóu yú xiě shī guò yú láo lèi zài

李贺由于写诗过于劳累，再

jiā shang huái cái bù yù yù yù guǎ huān zhǐ huó

加上怀才不遇，郁郁寡欢，只活

dào suì jiù shēng bìng sǐ le shī rén hán yù

到26岁就生病死了。诗人韩愈

céng xiě guo zhè yàng liǎng jù shī kū gān yǐ wéi

曾写过这样两句诗："刳肝以为

zhǐ lì xuè yǐ shū cí yì si shì shuō bǎ

纸，沥血以书辞。"意思是说，把

gān pōu chu lai zuò wéi zhǐ ràng xiě dī chu lai zuò

肝剖出来作为纸，让血滴出来作

wéi mò shuǐ lái xiě wén zhāng

为墨水来写文章。

hòu lái rén men gēn jù zhè ge gù shi gài kuò

后来，人们根据这个故事，概括

chū ǒu xīn lì xuè de chéng yǔ

出"呕心沥血"的成语。

影响孩子一生的 YING XIANG HAI ZI YI SHENG DE 300 个 经 典 成 语 GE JING DIAN CHENG YU 春卷

囫囵吞枣

hú lún tūn zǎo

据说，战国时期有个自作聪明的人，做事总想别出心裁。一天，他听别人说吃梨对牙齿有好处，但对脾脏有害处；而吃枣对牙齿有坏处，却对脾脏有益。这使他很苦恼，因为他恰恰喜欢吃这两种水果。

怎么办呢？他绞尽脑汁，终于想出一个主意：吃梨只管咀嚼，不咽下去，那就伤不着脾脏了，还有益于牙齿；吃枣只管硬吞下去，而不咀嚼，那就伤不着牙齿，还补了脾脏。他的朋友听了这个主意后，笑着说："你这不是囫囵吞枣吗？"

后来这件事传开了，人们就用"囫囵吞枣"来比喻吃东西不嚼，时间久了就成为成语了。

身在曹营心在汉

东汉末年，曹操把持朝政，为了铲除异己，决定先消灭兵力薄弱的刘备。那时，刘备立足未稳，曹军来到，很快就被打得大败。刘备与结义兄弟关羽、张飞失散，单骑投奔袁绍去了。关羽保护着刘备的两位夫人，据守在下邳。为了保护两位嫂嫂，无奈之下，关羽只得暂时投降曹操。

一天，曹操看到关羽的马很瘦弱，就送给他一匹赤兔马。关羽很高兴，下拜称谢。曹操奇怪地问："我送给将军金银、美女，你从不谢我，一匹马何至于下拜？"

关羽说："我知道这匹赤兔马能日行千里，有了它，我如知道兄长下落，就能很快赶到兄长身边了。"

曹操听了，知道关羽身在曹营心在汉，心里念念不忘汉朝皇叔刘备。

后来，当关羽得知刘备在河北袁绍处时，连夜就给曹操写了一封辞别信，感谢他的款待。然后护送着两位嫂嫂的车驾仪仗，一路过五关，斩六将，终于回到刘备身边。

影响孩子一生的 YING XIANG HAI ZI YI SHENG DE 300 个 经典 成语 GE JING DIAN CHENG YU 春卷

shēnqīng yán wēi
身轻言微

东汉时，有一个年轻的寡妇，对年老的
婆母非常孝顺。村里人都夸她是一个好媳
妇。后来，她的婆母因年老多病去世了。

这位寡妇有一个小姑是个心肠歹毒的
人。她诬告嫂子毒死了老婆婆。县令不加
以调查就判了

寡妇死罪。当时在县衙内担任

户曹小官的孟尝，向太守报告

这一个冤案，

可太守根本不

当回事儿。两

年后，换了新

太守。孟尝

再次告发寡妇

受冤之事。新太守惩办了诬陷贤妇的那个小姑，百姓无不拍手称快。

孟尝有个同乡名叫杨乔，在朝廷做尚书。他曾七次向皇帝推荐孟尝，但汉桓帝都不理会。杨乔第八次给桓帝上书，说：

"臣下前后七次向陛下举荐孟尝，但因为我身轻言微，始终得不到采纳。孟尝确实是一个品行高尚的人，如果选到陛下左右，一定能帮助陛下成就大业！"

可是汉桓帝仍然不采纳杨乔的建议。孟尝决心不再当官。一天夜里，他坐上渔民打鱼的小船，一个人悄然离去。

影响孩子一生的 YING XIANG HAI ZI YI SHENG DE 300 个 经典成语 GE JING DIAN CHENG YU ···· 春卷

kuài dāo zhǎn luàn má
快刀斩乱麻

nán běi cháo shí qī   dōng wèi xiào jìng dì   de chéngxiàng gāo huān hěn zhù yì duì hái zi de
南北朝时期，东魏孝静帝的丞相高欢很注意对孩子的

péi yǎng hé jiào yù
培养和教育。

yǒu yī tiān   tā fā gěi
有一天，他发给

hái zi men měi rén yī bǎ luàn
孩子们每人一把乱

má   shuō yào kàn kan shéi zhěng lǐ de zuì
麻，说要看看谁整理得最

kuài zuì hǎo
快最好。

hái zi men shǒu ná luàn má   yuè lǐ yuè luàn   dōu tǐng zháo jí
孩子们手拿乱麻，越理越乱，都挺着急。

zhǐ yǒu yī gè míng jiào gāo yáng de hái zi bù zháo jí lǐ má   tā xiǎng le hǎo yī huì
只有一个名叫高洋的孩子不着急理麻。他想了好一会

ér jiù zhǎo lái yī bǎ fēng lì de kuài dāo shuā shuā
儿，就找来一把锋利的快刀，"刷刷

shuā jǐ dāo jiù bǎ luàn má zhǎn duàn rán hòu xiàng fù
刷"几刀就把乱麻斩断。然后向父

qīn bào gào wán chéng le rèn wu
亲报告完成了任务。

gāo huān jiù wèn ér zi wèi shén me bù yī gēn
高欢就问儿子："为什么不一根

gēn de zhěng lǐ zhè bǎ luàn má ér shì yào yòng dāo lái
根地整理这把乱麻，而是要用刀来

zhǎn duàn zhè xiē luàn má ne
斩断这些乱麻呢？"

gāo yáng huí dá shuō luàn zhě
高洋回答说："乱者

bì zhǎn
必斩！"

gāo huān fēi cháng chī jīng yòu hěn
高欢非常吃惊，又很

gāo xìng xīn li àn àn de xiǎng zhè
高兴，心里暗暗地想，这

ge hái zi jiāng lái bì dìng néng zuò chéng dà shì
个孩子将来必定能做成大事。

guǒ rán gāo yáng zhǎng dà hòu cuàn duó le dōng wèi xiào jìng dì de dì wèi chéng wéi le
果然，高洋长大后，篡夺了东魏孝静帝的帝位，成为了

běi qí de wén xuān dì
北齐的文宣帝。

yú shì hòu rén jiù bǎ gāo yáng yòng dāo zhǎn luàn má de shì qing gài kuò wéi kuài dāo zhǎn luàn
于是，后人就把高洋用刀斩乱麻的事情，概括为"快刀斩乱

má zhè jù chéng yǔ le
麻"这句成语了。

影响孩子一生的
YING XIANG HAI ZI YI SHENG DE
300
个 经典 成语
GE JING DIAN CHENG YU
春卷

169

近水楼台先得月
jìn shuǐ lóu tái xiān dé yuè

范仲淹是北宋时期著名的文学家。他小时候家境贫困，但他勤奋好学，读了很多书。后来中了进士，做了大官。

范仲淹为人正直、待人谦和，特别善于使用人才。他在杭州做知府时，按才推荐，许多官员都调任了理想的职务。

有一个名叫苏麟的巡检官，因为接近范仲淹的机会很少，所以一直没被推荐和提拔。

有一次，苏麟因公事要见范仲淹，便趁机写了一首诗送给他，其中有两句：

"近水楼台先得月，向阳花木易为春。"

意思是靠近水边的楼房最先看到月亮，朝着阳光的地方生长的花草树木容易成长

开花。苏麟用这两句诗表达对范仲淹的不满，巧妙地指出那些接近他的人都得到了好处。

范仲淹读罢，不禁哈哈大笑。便根据苏麟的意见和希望，为他找到了合适的职务。

后来，人们常用"近水楼台先得月"这个成语，来比喻由于个人关系比较接近，或是职务、环境方面比较便利，而优先得到利益和方便。

影响孩子一生的
YING XIANG HAI ZI YI SHENG DE
300
个 经典 成语
GE JING DIAN CHENG YU
春卷

171

声名狼藉

秦朝著名的将领蒙恬曾经抗击北方匈奴的侵扰，收复了黄河南北的大片土地。蒙恬的兄弟蒙毅也为秦始皇平定天下立下了赫赫战功。秦始皇当政时，宦官赵高受贿舞弊、胡作非为。后来他的恶行被秦始皇知道了，就让蒙毅去调查。蒙毅查清了事实，将赵高判了死刑。但在赵高的苦苦哀求之下，秦始皇免了他的罪。从此，赵高对蒙毅怀恨在心，总想找机会报复他。

秦二世一上台，赵高就假皇帝之手，派人命蒙毅自尽。蒙毅为自己申辩，列举了秦昭襄王杀名将白起、楚平王杀伍奢等事，说明这些君王犯了枉杀良臣的大错，结果"恶声狼藉，布于诸国"，遭到人们谴责，并希望秦二世能引以鉴戒。但看赵高脸色行事的秦二世根本不听，终于杀了蒙毅。

根据这个故事，人们就引出了"声名狼藉"这个成语，比喻干尽坏事，臭名昭著，或形容名誉坏到极点。

bá miáo zhù zhǎng
拔苗助长

古时候，宋国有一个农夫。每天在田里辛苦耕作。总觉得自己田里的秧苗长得慢，心里非常着急。

有一天，他终于想出了一个"好办法"："我把秧苗一棵一棵地向上拔高一些，不就行了！"说干就干，他马上跑到地里，把秧苗一棵一棵地拔高。

太阳下山了，他终于把所有的秧苗都拔高了一大截。

回到家里，他高兴地逢人便说："今天我的秧苗长高了好几寸！"大家都觉得非常奇怪，就问他怎么回事。

他得意地说了自己想出来的"好主意"。他的儿子听了，赶快跑到地里去看，只见秧苗都低垂下头，已经枯死了。

影响孩子一生的 YING XIANG HAI ZI YI SHENG DE 300 个 经典成语 GE JING DIAN CHENG YU 春卷

鸡鸣狗盗

jī míng gǒu dào

战国时，秦昭王敬仰孟尝君，邀请他来做宰相。孟尝

君便带着大批门客来到秦国。

秦国大臣都劝谏秦王，说孟尝君是齐国人，此来必有

阴谋。秦王听了这些话后，就开始怀疑了，并把他囚禁起来。

孟尝君派人去求秦王的宠

姬帮助他离开秦国。宠姬说："如

果你送给我一件白狐狸

皮袍子。我就劝说秦

王放你回国。"

孟尝君只带

了一件白狐狸皮袍

子，已经送给秦王了。一

位门客自告奋勇说，可

以取回那件皮袍子。当天夜里，他学着狗叫，从狗洞爬进宫

lǐ, dào huí le bái hú li pí
里，盗回了白狐狸皮

páo zi。 mèng cháng jūn ná dào
袍子。孟尝君拿到

pí páo zi, jiù lì kè sòng gěi
皮袍子，就立刻送给

le chǒng jī。 chǒng jī rú yuàn
了宠姬。宠姬如愿

yǐ cháng, biàn zài qín wáng miàn qián shuō le xǔ duō hǎo huà,
以偿，便在秦王面前说了许多好话，

shǐ qín wáng shì fàng le mèng cháng jūn
使秦王释放了孟尝君。

mèng cháng jūn dài zhe mén kè men lián yè qǐ chéng tā men gǎn dào hán gǔ guān shí tiān
孟尝君带着门客们连夜启程。他们赶到函谷关时，天

hái méi yǒu liàng guān kǒu guī dìng jī jiào cái kě yǐ dǎ kāi chéng mén mèng cháng jūn fēi cháng
还没有亮。关口规定，鸡叫才可以打开城门。孟尝君非常

zháo jí zhè shí yī wèi mén kè xué qǐ le gōng jī dǎ míng fù jìn rén jiā de gōng jī yě dōu
着急，这时一位门客学起了公鸡打鸣。附近人家的公鸡也都

suí zhe jiào qǐ lái shǒu chéng de shì bīng tīng dào gōng jī dǎ míng biàn dǎ kāi chéng mén fàng tā
随着叫起来。守城的士兵听到公鸡打鸣，便打开城门放他

men zǒu le qín wáng yòu pài bīng zhuī lái shí mèng cháng jūn yī xíng rén yǐ jīng chū guān yuǎn qù
们走了。秦王又派兵追来时，孟尝君一行人已经出关远去

le jiù zhè yàng mèng cháng jūn kào zhe jī míng gǒu dào de liǎng gè mén kè duǒ guo le zhè chǎng
了。就这样，孟尝君靠着鸡鸣狗盗的两个门客躲过了这场

dà nàn
大难。

lián piān lěi dú
连篇累牍

在隋文帝时期，治书侍御史李谔很有辩才，文章也写得很好。他看到六朝以来的文章常常华而不实，就上书给隋文帝，希望通过发布政令来改变当时的文风。

他从魏武帝、文帝、明帝说起，谈到了他们崇尚文辞，不重视为君之道，只注重文辞华丽的雕虫小技，下面的人跟从他们，在文辞华丽上大做文章，渐渐地形成风格和风气，给后世带来了恶劣的影响及危害，希望当今皇上能发布政令改变文风。李谔觉得自己把要说的话都

说清楚了，就把奏章递上去了。

当隋文帝看到"连篇累牍，不出月露之形；积案盈箱，惟是风云之状"时，觉得李谔说得很有道理，就下令说：

"把李谔的奏章颁示天下，如以后写来的奏章再不注意文风，定要严加追究。"

李谔想通过发布政令来改变文风的愿望终于实现了。从这以后，当时的文风便逐步地好转了。

后来，人们就把"连篇累牍"引申为成语，用来形容文章冗长，华而不实，空洞无物。

纸上谈兵
zhǐ shàng tán bīng

成语

zhàn guó shí qī　　zhào guó míng jiàng zhào shē de ér zi zhào kuò　cóng xiǎo shú dú bīng shū
战国时期，赵国名将赵奢的儿子赵括，从小熟读兵书，

tán lùn qǐ yòng bīng dǎ zhàng tóu tóu shì dào　dàn zhào shē què dān yōu de duì qī zi shuō　zhào
谈论起用兵打仗头头是道。但赵奢却担忧地对妻子说："赵

kuò zhǐ zhī zhǐ shàng tán bīng　rú guǒ ràng tā
括只知纸上谈兵，如果让他

qù dài bīng dǎ zhàng　guó jiā yī dìng huì
去带兵打仗，国家一定会

zàng sòng zài tā de shǒu li
葬送在他的手里。"

jǐ nián yǐ hòu　zhào shē
几年以后，赵奢

qù shì　qín guó pài bīng jìn
去世。秦国派兵进

fàn zhào guó　zhào guó de míng jiàng lián pō cǎi qǔ zhǐ shǒu bù gōng　tuō yán shí jiān de dǎ fǎ
犯赵国。赵国的名将廉颇采取只守不攻、拖延时间的打法，

dǎ suàn yǐ cǐ xiāo hào qín jūn de shí lì　tuō kuǎ dí rén　qín jūn shì yuǎn zhēng zhī shī　shí
打算以此消耗秦军的实力，拖垮敌人。秦军是远征之师，时

jiān cháng le　hòu qín gōng yìng dìng huì fā shēng kùn nan
间长了，后勤供应定会发生困难。

qín jiàng bái qǐ jiàn jiǔ gōng bu xià   jiù xiǎng chū yī tiáo fǎn jiàn jì   tā sì chù sàn bù

秦将白起见久攻不下，就想出一条反间计。他四处散布

liú yán shuō   lián pō yǐ jīng tài lǎo le   qín jūn gēn

流言说："廉颇已经太老了，秦军根

běn jiù bù pà tā   rú guǒ huànchéng

本就不怕他，如果换成

shú dú bīng shū de zhào kuò zhǐ

熟读兵书的赵括指

huī dà jūn   zhào guó zǎo jiù

挥大军。赵国早就

qǔ shèng le

取胜了。"

zhào xiào chéngwáng

赵孝成王

tīng xìn le yáo yán

听信了谣言，

guǒ rán zhào huí lián pō   pài zhào kuò jiē tì lián pō   zhào mǔ xiǎng qǐ zhào shē shēngqián de zhǔ

果然召回廉颇，派赵括接替廉颇。赵母想起赵奢生前的嘱

fu   biàn quàn jiàn zhàowáng   dàn zhàowáng gù zhí jǐ jiàn   hái shi rèn mìngzhào kuò dān rèn tǒngshuài

咐，便劝谏赵王。但赵王固执己见，还是任命赵括担任统帅。

zhào kuò gāng dào qián xiàn jiù gǎi biàn le lián pō de zuò zhàn fāng zhēn   nòng de rén xīn

赵括刚到前线就改变了廉颇的作战方针，弄得人心

huánghuáng   qín jiàng bái qǐ yī kàn shí jī chéng shú   jiù jiāng zhào jūn tuán tuán wéi kùn le

惶惶。秦将白起一看时机成熟，就将赵军团团围困了40

duō tiān   zhào kuò shuǐ jìn liáng jué   bèi pò tū wéi   jié guǒ bèi qín jūn luàn jiàn shè sǐ

多天。赵括水尽粮绝，被迫突围，结果被秦军乱箭射死。

zhào jūn   duō wàn rén quán jūn fù mò   qín jūn yī gǔ zuò qì dǎ dào le hán dān   zhào

赵军40多万人全军覆没。秦军一鼓作气打到了邯郸。赵

guó chà yī diǎn er wáng guó   zuì hòu hái shi kào chǔ guó hé wèi guó de jiù yuán cái zǒng suàn

国差一点儿亡国，最后还是靠楚国和魏国的救援才总算

jiě wéi

解围。

影响孩子一生的
YING XIANG HAI ZI YI SHENG DE
300
个 经 典 成 语
GE JING DIAN CHENG YU
春卷

179

实事求是

shí shì qiú shì

西汉时候，汉景帝刘启的三儿子刘德，被封为河间献王。刘德对于研究学问很有兴趣，读书很认真。他还深入民间搜集到很多先秦时期的古书，在掌握了丰富的研究资料的基础上，认真地进行学术研究和历史考证工作。刘德这种治学态度，受到当时许多有学问的人的赞扬。

班固在编著《汉书》的时候，专门为刘德写了《河间献王传》。其中，班固对刘德的治学态度赞扬道："修学好古，实事求是。"后来，唐代学者颜师古又加以注释说："务得事实，每求真是也"。这些话的意思是说，刘德读书很认真，爱钻研古代文化，研究和探讨学问注意掌握大量的事实做根据，然后再从中找出可靠的结论来。

根据这些记载和故事，人们便引出"实事求是"这个成语。

扬扬得意
yángyáng dé yì

齐国相国晏子对人很谦恭，可他的车夫却十分骄傲。

有一天，车夫的妻子从门缝儿里看见自己的丈夫，高高坐在驷马大车上，神气十足地挥着马鞭，"意气扬扬，甚自得也"。

等车夫回到家里，妻子便提出要跟她离婚。车夫忙问原因。妻子说："晏子虽说身高不到6尺，却是堂堂的宰相，今天我看见他坐在车上，态度是那么谦逊；而你呢，身长8尺，毕竟只是一个马车夫。看你赶车时那副趾高气扬、神气活现的样子，自以为了不起！因此我要跟你离婚。"

这个车夫听了很惭愧，以后就十分注意检点自己的言行。晏子看到车夫的变化，很奇怪，就问他是什么缘故。车夫照实做了回答，晏子觉得他这种知错就改的精神难能可贵，就推荐他做了大夫。

后来，人们就从"意气扬扬，甚自得也"引出了成语"扬扬得意"或"得意扬扬"，比喻自以为了不起，神气十足的样子。

影响孩子一生的
YING XIANG HAI ZI YI SHENG DE
300 个
GE JING DIAN CHENG YU
经典成语
春卷

成语

围魏救赵
wéi wèi jiù zhào

战国初期，魏国在魏文侯的治理之下，

逐渐成为中原最强大的国家。

魏国不断侵略别国，向外扩张

地盘和势力范围，早有并吞

赵国之意。一次，魏军乘赵国

毫无防备，突然出兵攻打，并

很快将赵国的国都邯郸团团

围住。赵国国君

毫无办法，只好

派人乔装打扮，星夜出

城向齐国求救。

齐威王命令

大将田忌和孙膑

马上率领军队援

助赵国。孙膑是一位通晓兵法战策的军事家，他考虑到魏国的精锐之师已深入赵国，内部一定非常空虚，因此没有正面攻打敌人，而是率兵攻打魏国本土。魏军得知自己的国家被齐军攻打，不得不撤离邯郸回师救魏。孙膑早就料到魏军一定会

回头援救魏国，就安排齐军事先埋伏在他们撤回的必经途中，趁魏军兵士日夜长途跋涉，辛劳疲惫，士气低落之机发起了攻击。齐军精神饱满、士气旺盛，加之孙膑又做了周密的布置，因而打得魏军落花流水，几乎全军覆灭。就这样，齐国既打败了魏国又解救了赵国邯郸之围。

影响孩子一生的 YING XIANG HAI ZI YI SHENG DE 300 个 经典成语 GE JING DIAN CHENG YU 春卷

huà lóng diǎn jīng
画龙点睛

张僧繇是我国南北朝时期的著名画家。他最擅长画人物和佛像。

有一年，梁武帝让他在金陵城郊安乐寺的墙壁上画四条龙。他只用了三天时间，就画了四条栩栩如生的大龙。这四条龙形态不一，活灵活现。

人们听说了之后，都争先恐后地前来观看。可是有人发现，这四条龙都没有点眼珠儿。

张僧繇解释说："不是我一时疏忽，是不能画龙眼睛，如果画上，龙就会破壁飞走。"

但是谁也不相信他的话。大家都想：墙上画的龙怎么能飞走呢？因此就不停地催促他给龙点上眼睛。

zhāng sēng yóu jiān chí bu guò   jiù tí qǐ huà bǐ lai   yòng xīn de gěi liǎng tiáo lóng diǎn shang
张僧繇坚持不过，就提起画笔来，用心地给两条龙点上

le yǎn jing
了眼睛。

shà shí   wū yún mì bù   diàn shǎn léi míng   fēng yǔ jiāo jiā   zhǐ jiàn qiáng shang diǎn le yǎn
霎时，乌云密布，电闪雷鸣，风雨交加，只见墙上点了眼

jing de nà liǎng tiáo lóng   pò bì ér fēi   zhí chōng
睛的那两条龙，破壁而飞，直冲

yún xiāo   ér méi yǒu huà shang yǎn jing de nà liǎng tiáo
云霄。而没有画上眼睛的那两条

lóng   yī jiù liú zài le qiáng bì shang
龙，依旧留在了墙壁上。

gēn jù zhè ge chuán shuō   hòu rén jiù yǐn chū
根据这个传说，后人就引出

le   huà lóng diǎn jīng   zhè ge chéng yǔ
了"画龙点睛"这个成语。

影响孩子一生的 YING XIANG HAI ZI YI SHENG DE 300 个 经典成语 GE JING DIAN CHENG YU 春卷

huà shé tiān zú
画蛇添足

古时候，有一位贵族，把祭祀用过的一壶酒赏给了他的几个门客。但是只有一壶酒，只够一个人喝。给谁喝呢？有一个人提议："每人在地上画一条蛇，谁先画完，酒就归谁。"于是，他们就拿起笔开始画蛇。其中有一个人画得最快，眨眼间就画好了一条蛇。他看到别人刚刚画了一半，就不客气地拿起酒壶，得意扬扬地说："我还能给蛇添上四只脚呢！"他的蛇脚还没画完，另一个人也画完了蛇，就一把夺过酒壶，高声说："蛇本来没有脚。你给它添上脚，哪是蛇呢？"说完，一仰脖子把酒一饮而尽。而那个画蛇脚的人只好干瞪眼。

hán dān xué bù
邯郸学步

战国时候，邯郸是赵国的都城。人们都认为邯郸人走路姿势优美好看。他们走起路不快不慢，双臂摆动协调，因此远近闻名。

燕国寿陵有个少年，总觉得自己走路的姿态不好看。他听说邯郸人走姿优雅，便千里迢迢来邯郸学习走路。他为了学步法，整天在街上，仔细观察邯郸人走路的样子，并一步一步跟着模仿、练习。可看起来容易，做起来却很难，他学了很长时间总是走得不自然，越学越别扭。他想："也许是原来习惯的原因吧，看来只有彻底放弃原来的步法，按邯郸人走路的样子，从头学习才行啊！"

于是，他完全放弃了自己以前的步法，恨不得从爬行开始，亦步亦趋地努力学习。然而，经过一段时间的学习，寿陵少年不但没有学会邯郸人走路的样子，反而把自己原来走路的步法也忘了，连路也不会走了。他没办法，只好狼狈地爬着回到了自己的国家。

影响孩子一生的
YING XIANG HAI ZI YI SHENG DE
300 个 经典成语
GE JING DIAN CHENG YU
春卷

cāng hǎi sāng tián
沧海桑田

chuánshuō yǒu liǎng wèi xiān rén wángyuǎn hé má gū xiāng yuē dào cài jīng jiā qù yǐn jiǔ
传说，有两位仙人，王远和麻姑，相约到蔡经家去饮酒。

zhè yī tiān wángyuǎn zuò zài wǔ tiáo lóng lā de chē shang jiàng luò zài cài jīng jiā de tíng
这一天，王远坐在五条龙拉的车上，降落在蔡经家的庭

yuàn li tā yǔ cài jīng jí qí jiā rén hù xiāng zhì yì rán hòu dú zì děng hòu má gū de
院里。他与蔡经及其家人互相致意，然后独自等候麻姑的

dào lái dàn děng le hǎo jiǔ hái bù jiàn má gū biàn cháo kōng zhōng zhāo le zhāo shǒu fēn fu
到来。但等了好久还不见麻姑，便朝空中招了招手，吩咐

shǐ zhě qù qǐng má gū cài jīng jiā rén shéi yě bù zhī dao má gū shì nǎ wèi xiān nǚ biàn
使者去请麻姑。蔡经家人谁也不知道麻姑是哪位仙女，便

qiáo shǒu yǐ dài
翘首以待。

guò le yī huì er shǐ
过了一会儿，使

zhě zài kōng zhōng xiàng wáng yuǎn bǐng
者在空中向王远禀

bào shuō má gū zhèng fèng mìng
报说："麻姑正奉命

xún shì péng lái xiān dǎo shāo dài
巡视蓬莱仙岛，稍待

piàn kè jiù huì lái hé xiān sheng
片刻，就会来和先生

jiàn miàn
见面。"

wángyuǎn wēi wēi diǎn tóu
王远微微点头，

nài xīn de děng dài zhe méi guò duō jiǔ má gū
耐心地等待着。没过多久，麻姑

cóng kōng zhōng piāo rán jiàng luò tā kàn shang qu sì shí
从空中飘然降落。她看上去似十

八九岁的漂亮姑娘，衣服不知是什么质地的，上面绣着美丽的花纹，光彩夺目。

麻姑和王远互相行礼后，王远就吩咐开宴。席上的用具珍贵而精巧，菜肴大多是奇花异果，香气扑鼻。所有这些，都是蔡经家的人从未见到过的。

席间，麻姑对王远说："自从得道后，接受天命以来，我已经亲眼见到东海三次变成桑田。刚才到蓬莱巡视，又看到海水比以前浅了一半，难道它又要变成陆地了吗？"

王远叹道："是啊，圣人们都说，大海的水在下降，不久那里又将沧海桑田，扬起尘土了。"

两人欢声笑语，畅所欲言，十分开怀。宴饮完毕，王远、麻姑各自召来车驾，升天而去。

根据这个神话传说，人们就用"沧海桑田"来比喻世事变化很大。

影响孩子一生的 YING XIANG HAI ZI YI SHENG DE 300 个经典成语 GE JING DIAN CHENG YU 韦卷

guā mù xiāng kàn
刮目相看

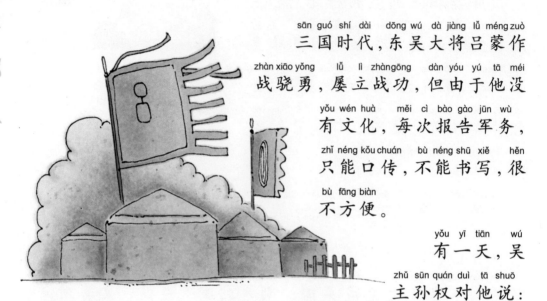

sān guó shí dài　dōng wú dà jiàng lǚ méng zuò
三国时代，东吴大将吕蒙作

zhàn xiāo yǒng　lǚ lì zhàngōng　dàn yóu yú tā méi
战骁勇，屡立战功，但由于他没

yǒu wén huà　měi cì bào gào jūn wù
有文化，每次报告军务，

zhǐ néng kǒu chuán　bù néng shū xiě　hěn
只能口传，不能书写，很

bù fāng biàn
不方便。

yǒu yī tiān　wú
有一天，吴

zhǔ sūn quán duì tā shuō
主孙权对他说：

nǐ xiàn zài shì yī yuán dà jiàng　zhǎngquánguǎn shì　yīng gāi duō dú yī xiē shū　zēngzhǎng zì
"你现在是一员大将，掌权管事，应该多读一些书，增长自

jǐ de cái gàn
己的才干。"

lǚ méngshuō　jūn wù fán máng　nǎ er yǒu shí jiān dú shū a
吕蒙说："军务繁忙，哪儿有时间读书啊！"

sūn quán yáo le yáo tóu　nǐ shuō jūn wù máng　nán dào wǒ bù bǐ nǐ gèngmáng ma
孙权摇了摇头："你说军务忙，难道我不比你更忙吗？

wǒ xiǎo shí hou dú guò hěn duō shū　tǒng lǐng dà shì yǐ lái　yòu dú le　shǐ jì　hàn
我小时候读过很多书，统领大事以来，又读了《史记》、《汉

shū　dōngguān hàn jì　děng　zhēn shì shòu yì fěi qiǎn a　nǐ zhè me nián qīng　nǎ néng bù
书》、《东观汉记》等，真是受益匪浅啊！你这么年轻，哪能不

xué xí ne　cóng qián hàn guāng wǔ dì zài xíng jūn zuò zhàn de jǐn zhāngguān tóu　shǒu li hái zǒng
学习呢？从前汉光武帝在行军作战的紧张关头，手里还总

shì ná zhe yī běn shū bù kěn fàng xia lai　nǐ men nián qīng rén gèng yīng gāi miǎn lì zì jǐ duō
是拿着一本书不肯放下来。你们年轻人更应该勉励自己多

dú shū
读书。”

zài sūn quán de kāi dǎo xià　lǚ méng kāi shǐ fā fèn dú shū　tā bái tiān shǒu
在孙权的开导下，吕蒙开始发奋读书。他白天手
bù shì juàn　yè li yě jīng cháng kàn shū dào shēn yè
不释卷，夜里也经常看书到深夜。

yī huàng jǐ nián guò qu le　yǒu yī cì　xué shí yuān
一晃几年过去了。有一次，学识渊
bó de lǔ sù lù guò lǚ méng de fáng dì　jiù tóng tā yī qǐ
博的鲁肃路过吕蒙的防地，就同他一起
yì lùn qǐ rú hé duì fu hàn jūn　lǚ méng duì liǎng jūn de xíng
议论起如何对付汉军。吕蒙对两军的形
shì zuò le míng què de fēn xī　jiǎng de tóu tóu shì dào　pō yǒu
势作了明确的分析，讲得头头是道，颇有
jiàn dì　lǔ sù fēi cháng pèi fu　jīng xǐ de shuō　wǒ yuán yǐ wéi nǐ zhǐ huì wǔ lüè　xiàn
见地。鲁肃非常佩服，惊喜地说：“我原以为你只会武略，现
zài cái zhī dao nǐ yǐ jīng cái lüè chū zhòng　bù zài shì yuán lái de wú xià ā méng le
在才知道你已经才略出众，不再是原来的吴下阿蒙了。”

lǚ méng fēng qù de huí dá shuō　shì bié sān rì　jí gèng
吕蒙风趣地回答说：“士别三日，即更
guā mù xiāng dài
刮目相待。”

yì si shì shuō　sān tiān bù jiàn
意思是说，三天不见
miàn　jiù bù néng yòng lǎo yǎn guāng qù kàn dài
面，就不能用老眼光去看待
rén a
人啊！

hòu lái　rén men jiù bǎ　shì
后来，人们就把“士
bié sān rì　jí gèng guā mù xiāng dài
别三日，即更刮目相待”
zhè jù huà　jiǎn huà chéng　guā mù xiāng
这句话，简化成“刮目相
kàn　zhè zé chéng yǔ le
看”这则成语了。

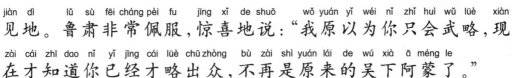

影响孩子一生的
YING XIANG HAI ZI YI SHENG DE
300
个 经 典 成 语
GE JING DIAN CHENG YU
韦卷

成语

bēi gōng shé yǐng
杯弓蛇影

jìn cháo shí　yǒu gè rén míng jiào　lè guǎng　xǐ huan jié jiāo péng you
晋朝时，有个人名叫乐广，喜欢结交朋友。

yǒu yī cì　　lè guǎng yāo qǐng yī wèi péng you dào jiā li hē jiǔ　dāng bēi zi fàng zài
有一次，乐广邀请一位朋友到家里喝酒。当杯子放在

zhuō shang de shí hou　nà péng you wú yì zhōng fā xiàn　jiǔ bēi li yǒu yī tiáo xiǎo shé yàng de
桌上的时候，那朋友无意中发现，酒杯里有一条小蛇样的

dōng xi zài huàng dòng　tā miǎn qiǎng hē wán jiǔ　jiù gào cí le
东西在晃动。他勉强喝完酒，就告辞了。

huí jiā hòu　méi jǐ tiān　tā jiù yī bìng bù qǐ　lè guǎng tīng shuō péng you shēng bìng
回家后，没几天，他就一病不起。乐广听说朋友生病

le　biàn pài rén qián qù wèn hòu　　nà wèi péng you biàn duì lái rén
了，便派人前去问候。那位朋友便对来人

说："那天在酒杯里看见一条小蛇，当时勉强把酒喝了，但回家后食宿不宁，便生起病来。"

乐广听了这件事后，感到十分奇怪，就在家里反复思考。猛然间，他抬头发现了墙上挂着的角弓。于是赶忙斟了一杯酒，放在朋友那天喝酒的桌上。那弓的影子映在酒杯里，就像小蛇一样。

乐广高兴极了，再请那位朋友到家中饮酒，仍让他坐原来的位子。待那朋友坐定之后，乐广指着挂在墙壁上的弓说："请您看看您的杯里有什么东西？"

那朋友看了看杯子，又看了看墙上的弓，恍然大悟，他的病立即就好了。

根据这个故事，人们便概括出"杯弓蛇影"这个成语，比喻疑神疑鬼，自相惊扰。

影响孩子一生的 YING XIANG HAI ZI YI SHENG DE 300 个经典成语 GE JING DIAN CHENG YU 春卷

夜郎自大

汉武帝时期，在西南方有个夜郎国，是一个非常小的国家。夜郎国的四周群山峻岭环绕，交通很不方便，与中原素无往来。在夜郎国临近的十几个部族中，夜郎是最大的。因此，国王竹多同骄傲地认为，自己统治的国家是天下最强大、最富有，也是幅员最辽阔的国家。

有一次，汉武帝派遣使节出访夜郎国。国王竹多同便问来使："我的国家与你们汉朝相比，哪一个更大一些呢？"

汉朝使者听了，感到非常可笑，想不到如此小的国家也要与汉朝相比！但还是如实地告诉他："100个夜郎国加起来，也不如汉朝大啊！"

竹多同听了不相信，还是以为夜郎国最大。

根据这个故事，人们便引申出"夜郎自大"这个成语，比喻孤陋寡闻，妄自尊大。

刻舟求剑

从前，有个楚国人，在乘船过江的时候，不小心把随身佩带的宝剑掉到江里了。他急忙在船舷边剑落水的地方刻了一个记号，说："宝剑是从这儿掉下去的，回来的时候，再从这儿跳下去打捞。"

船靠岸后，楚人便去办事了。等他回来，立即上了小船。船刚起锚，楚人就找到了他用小刀刻下的记号，要求船夫帮助他打捞宝剑。船夫说："您的剑不是从这个地方掉下去的，根本找不到。"

可是楚人非常固执，他说："我在船上刻了记号，怎么不是从这里掉下去的呢？干脆我自己下去捞吧。"

说着，就跳下了水，可是怎么也找不到。最后，他不得不垂头丧气地上了船。

船夫说："河水是流动的，船是划动的，你只在船上刻了记号，船在水中的位置早就变了，刻记号有什么用呢？"

影响孩子一生的 YING XIANG HAI ZI YI SHENG DE 300 个 经典成语 GE JING DIAN CHENG YU 春卷

yú mù hùn zhū
鱼目混珠

cóng qián yǒu yī gè jiào mǎn yì de rén
从前有一个叫满意的人。

yǒu yī tiān mǎn yì dào jí shì shang mǎi dōng xi wú yì jiān kàn jian yī kē yòu dà yòu
有一天，满意到集市上买东西，无意间看见一颗又大又

yuán de zhēn zhū zhè kē zhēn zhū guāng cǎi duó mù míng yàn zhào rén mǎn yì fēi cháng xǐ huan
圆的珍珠。这颗珍珠光彩夺目，明艳照人。满意非常喜欢，

jiù mǎi le xià lái ná huí jiā hòu tā jīng xīn de shōu cáng qi lai
就买了下来。拿回家后，他精心地收藏起来。

mǎn yì de lín jū jiào shòu liáng jiā li yě zhēn cáng yǒu yī
满意的邻居叫寿量，家里也珍藏有一

kē dà zhēn zhū tā cháng xiǎng ná chu lai tóng mǎn yì bǐ yī bǐ
颗大珍珠。他常想拿出来同满意比一比。

dàn ài yú zǔ zong bù kě qīng yì shì rén de yí
但碍于祖宗"不可轻易示人"的遗

xùn zhǐ hǎo zuò bà
训，只好作罢。

bù jiǔ liǎng rén
不久，两人

dōu dé le yì zhǒng guài
都得了一种怪

bìng wò chuáng bù qǐ
病，卧床不起。

sì chù qiú yī wèn yào
四处求医问药，

kě bìng hái shi bù jiàn
可病还是不见

hǎo zhuǎn
好转。

yī tiān jiē shang
一天，街上

来了一个游方郎中，说能医治各种疑难杂症。

郎中看了看两个病人，说需要用珍珠粉来调

药，才能药到病除。他匆匆写下

一个方子，就走了。

满意舍不得残损那颗稀世珍

珠，因此就吃了方子上其他的药；寿量则忍痛用家传珍珠粉

合了药。

几天过后，游方郎中来到满意家

中询问病况如何。满意如实相告，

郎中说："我能否看看你的宝珠？"

满意打开盒子给郎中看。郎中道：

"果然是稀世之珍！"

他又去问寿量，寿量告诉郎中，

吃了药却没有什么用。

"请你把所用的珍珠给我看看。"郎中说。

于是，寿量把珍珠拿出来。郎中一看，大笑着说："这哪

里是什么珍珠呢，这分明是海洋里一种大鱼的眼睛，你真是

鱼目混珠啊，哪能治好你的病啊！"

tān xiǎo shī dà
贪小失大

春秋战国时期，蜀国土地肥沃，物产丰富，百姓生活安定。但是，蜀王却是一个昏庸而贪财的君主。

秦国垂涎于蜀国的富有，早有兼并之意。但是苦于蜀道难行，山高路险，军队无法通过，因此才一直没有发兵。秦国的国君秦惠王听说蜀国国王是一个贪得无厌的小人，就想出了一条计策。他找来九个石匠，命令他们用大石头雕刻成了一头石牛，并在石牛的粪门放了许多的金银财宝。然后，让士兵把这头石牛拖到通往蜀国的山路上，故意让石牛一边走，一边

bù duàn de sǎ chū yī xiē jīn zi
不断地撒出一些金子。

guò le jǐ tiān "shén niú lā jīn fèn" de chuánshuō
过了几天，"神牛拉金粪"的传说

jiù chuán dào le shǔ wáng ěr duo
就传到了蜀王耳朵

li tā xìn yǐ wéi zhēn mǎ
里。他信以为真，马

shàng pài rén qù cān guān
上派人去参观，

bìng shuō yuàn yì chū
并说愿意出

gāo jià gòu mǎi zhè tóu shén
高价购买这头神

niú qín huì wáng shùn shuǐ tuī zhōu shuō yuàn jiāng zhè xiān rén cì yǔ de shén niú sòng gěi shǔ guó
牛。秦惠王顺水推舟说，愿将这仙人赐予的神牛送给蜀国。

shǔ wáng fēi cháng gāo xìng wèi le yíng jiē shén niú tā pài le hěn duō nián qīng lì zhuàng de nián qīng
蜀王非常高兴，为了迎接神牛，他派了很多年轻力壮的年轻

rén kāi shān tián gǔ xiū zhù dào lù qín guó de dà jūn gēn zài bān yùn shén niú de duì wu hòu
人开山填谷，修筑道路。秦国的大军跟在搬运神牛的队伍后

mian kāi jìn le shǔ guó méi fèi chuī huī zhī lì jiù miè diào le shǔ guó
面开进了蜀国，没费吹灰之力就灭掉了蜀国。

rén men chǐ xiào shǔ
人们耻笑蜀

wáng shuō yīn tān xiǎo
王说："因贪小

lì ér shī qù le dà lì hòu
利，而失去了大利。"后

lái zhè jù huà bèi jiǎn huà wéi chéng
来，这句话被简化为成

yǔ tān xiǎo shī dà
语"贪小失大"。

影响孩子一生的 YING XIANG HAI ZI YI SHENG DE 300 个 经典成语 GE JING DIAN CHENG YU 春卷

成语

tú qióng bǐ jiàn
图穷匕见

战国末年，秦国先后灭了韩国和赵国。为了挽救岌岌可危的燕国，燕太子丹经过周密的谋划，派刺客荆轲为使者，带着秦国叛将樊於期的头颅和燕国督亢的地图来到秦国，企图假借割地求和的名义，伺机刺杀秦王。

荆轲事先将一把匕首藏在布帛做成的地图卷里，准备用来刺杀秦王。秦王听说燕国的使臣送来了樊於期的头颅和督亢的地图，非常高兴，就传下旨意，要亲自接见荆轲。

荆轲手捧装有樊於期头

颅的木盒和地图匣，一步一步走上朝堂。他打开地图，一个地方一个地方地指给秦王看。翻到最后时，卷在地图里的匕首露了出来。于是荆轲拿起匕首向秦王刺去。

秦王急忙抬起身子使劲向后一转，绕着大殿的柱子跑，荆轲紧紧地追逼着。按照当时秦国的规矩，没有命令大臣是不准上殿的。殿下的文官武士们都被这突如其来的变故惊呆了，不知如何是好。有一个医官急中生智，用药袋向荆轲打去。趁这工夫，秦王拔出身上的剑，一剑砍断了荆轲的左腿。荆轲站立不住，就举起匕首，向秦王投过去，但没能掷中秦王。接着，秦王又砍了荆轲几剑，这时秦王的卫士赶上前来，杀死了荆轲。

根据这个故事，人们就引出了"图穷匕见"这则成语，比喻事情发展到最后阶段，真相或本意暴露出来了。

影响孩子一生的 YING XIANG HAI ZI YI SHENG DE 300 个经典成语 GE JING DIAN CHENG YU 春卷

pāo zhuān yǐn yù
抛砖引玉

常建和赵嘏都是唐朝有名的诗人。常建十分仰慕赵嘏的诗才。

有一次,常建听说赵嘏要到苏州来游玩,预料到他一定会到灵隐寺去,于是便在寺里墙壁上题了两句诗。果然,赵嘏来到灵隐寺,看见这两句未完的诗句,便挥笔又补了两句,使之成为一首完整的七言绝句。

赵嘏走后,常建特地来观看,觉得赵嘏添加的两句有如妙笔生花、画龙点睛。人们知道后,却说常建的两句诗对赵嘏的两句诗来说是"抛砖引玉"。

从此以后,人们就把"抛砖引玉"作成语使用了。

郑人买履

有一个郑国人，打算到集市上去买鞋子。他先在家里用一根绳子量好了自己脚的大小，打算拿着这个量好的尺寸去买鞋子。

临出门时，忘记把尺寸带上了。来到集市后，郑人走到一家鞋摊儿前，看中了一双鞋子。可是一掏口袋，找不到鞋的尺寸了。他想：一定是忘在家里没有带出来，便对卖鞋人说："我忘记带鞋的尺码了，等回家取了再来买这双鞋吧。"

卖鞋的人说："只要用自己的脚试一试这鞋子的大小不就行了吗。"郑人却说："我宁愿相信量过的尺码，也不相信自己的脚！"说完，就头也不回地跑了。

郑人跑回家，找到了尺码，等他慌慌张张地返回集市时，集市早已经散了。

根据这个故事，后人便概括出"郑人买履"这则成语，用来讽刺那些只相信教条，不顾客观实际的人。

影响孩子一生的 YING XIANG HAI ZI YI SHENG DE 300 个 经典成语 GE JING DIAN CHENG YU 韦卷

shě shēng qǔ yì
舍生取义

chūn qiū shí dài   jìn guó yǒu gè yì shì míng jiào yù ràng   tā céng jīng shòu dào zhì bó
春秋时代，晋国有个义士名叫豫让。他曾经受到智伯

de zhòngyòng   fēi cháng gǎn xiè zhì bó de zhī yù zhī ēn
的重用，非常感谢智伯的知遇之恩。

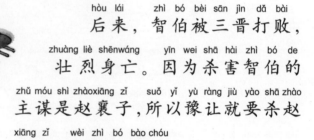

hòu lái   zhì bó bèi sān jìn dǎ bài
后来，智伯被三晋打败，

zhuàng liè shēnwáng   yīn wei shā hài zhì bó de
壮烈身亡。因为杀害智伯的

zhǔ móu shì zhàoxiāng zǐ   suǒ yǐ yù ràng jiù yào shā zhào
主谋是赵襄子，所以豫让就要杀赵

xiāng zǐ   wèi zhì bó bào chóu
襄子，为智伯报仇。

yù ràng zhuāng bàn chéng yī gè cán jí rén   lái
豫让装扮成一个残疾人，来

dào zhào xiāng zǐ de cè suǒ   jiǎ zhuāng fěn shuāqiáng bì
到赵襄子的厕所，假装粉刷墙壁，

xiāng sì jǐ cì shā zhàoxiāng zǐ   zhàoxiāng zǐ zhēn de
想伺机刺杀赵襄子。赵襄子真的

dào cè suǒ xiǎo biàn lái le   tā xīn jīng ròu tiào   gǎn jué yǒu rén yào cì shā zì jǐ   biàn hǎn
到厕所小便来了。他心惊肉跳，感觉有人要刺杀自己，便喊

lái rén zhuā zhù fěn shuā qiáng bì de rén   zǐ xì pán wèn hòu   dé zhī yuán lái zhè rén jiù shì
来人抓住粉刷墙壁的人。仔细盘问后，得知原来这人就是

yù ràng   zhàoxiāng zǐ zhī dao tā shì yào tì zhì bó bào chóu gǎn niàn tā shì yì shì   jiù bǎ
豫让。赵襄子知道他是要替智伯报仇，感念他是义士，就把

tā fàng le
他放了。

yù ràng hái shi bù gān xīn   tā huǐ le zì jǐ de róng mào   yòu yòng tūn tàn de bàn
豫让还是不甘心。他毁了自己的容貌。又用吞炭的办

fǎ gǎi biàn le shēng yīn   zhè xià   lián tā de qī zi yě rèn bu chū tā le   yú shì   yù
法改变了声音。这下，连他的妻子也认不出他了。于是，豫

让装扮成一个乞丐,提前躲在赵襄子必经的一座桥下。这天,赵襄子刚要走到桥下时,忽然他的坐骑惊叫起来。赵襄子预感到一定又是豫让来行刺了,马上叫人搜查。果然把豫让抓到了。赵襄子感叹道:"豫让,你替知己报仇,人家都已知道你的义举了,怎么还不罢休呢?这次我不再释放你了,请你自己了断吧!"

豫让被赵襄子的话所感动,请求赵襄子把袍子脱下来,他在赵襄子的袍子上刺了三刀,然后自杀了。

孟子听了这个故事,感慨地说:"生亦我所欲也,义亦我所欲也,二者不可得兼,舍生而取义者也"。

意思是说:生是我所喜欢的,义也是我喜欢的,二者没有办法同时得到时,我宁愿不要生命而去取义。后人就把这意思简化成"舍生取义"而当成语使用了。

舍本逐末
shě běn zhú mò

成语

赵惠文王的妻子赵威后，是战国时期一个比较开明、贤达的妇女。她协助赵惠文王把国家治理得比较好，因而在诸侯王里很有些威望。

有一次，齐国派使臣去问候赵威后。赵威后接过国书，连看也没看，就问使臣："贵国今年的年景好不好？百姓还安乐吗？"

齐国使者听了不大高兴："我奉齐王之命来贵国问候您。可是您不先问齐王的情况，却先问起了年景和百姓，难道还能把卑

jiàn de fàng zài qián　bǎ zūn guì de fàng zài hòu ma
贱的放在前,把尊贵的放在后吗？"

zhào wēi hòu shuō　　huà kě bù néng zhè yàng
赵威后说："话可不能这样

shuō　jiǎ rú méi yǒu hǎo nián jǐng　bǎi xìng kào shén
说。假如没有好年景,百姓靠什

me shēng cún ne　rú guǒ méi yǒu bǎi
么生存呢？如果没有百

xìng guó jūn kào shén me cún zài ne
姓,国君靠什么存在呢？

nǎ yǒu piē kāi gēn běn ér xiān xún wèn
哪有撇开根本而先询问

zhī jié de ne
枝节的呢？"

qí guó shǐ chén
齐国使臣

tīng le　jué de zhào
听了,觉得赵

wēi hòu de huà què shí
威后的话确实

hěn yǒu dào li
很有道理。

hòu lái　gēn jù zhè ge gù shi　zhào wēi hòu de nà jù huà jiù yǎn biàn wéi　shě běn
后来,根据这个故事,赵威后的那句话就演变为"舍本

zhú mò　huò　shě běn qiú mò　zhè ge chéng yǔ le
逐末"或"舍本求末"这个成语了。

影响孩子一生的
YING XIANG HAI ZI YI SHENG DE
300
个 经典成语
GE JING DIAN CHENG YU
春卷

207

jīn wū cáng jiāo
金屋藏娇

xī hàn shí   wǔ dì liú chè de gū mǔ   guǎn táo zhǎng gōng zhǔ yǒu yī gè nǚ ér
西汉时，武帝刘彻的姑母、馆陶长公主有一个女儿，

xiǎo míng jiào ā jiāo zhǎng de měi lì kě ài
小名叫阿娇，长得美丽可爱。

nà shí   liú chè yě cái jǐ suì dà   hái bù dǒng de shén me   yǒu yī tiān   tā
那时，刘彻也才几岁大，还不懂得什么。有一天，他

dào gū mǔ jiā wán shuǎ   zhǎng gōng zhǔ biàn bǎ tā bào dào zì jǐ de xī gài shang   dòu tā wán
到姑母家玩耍，长公主便把他抱到自己的膝盖上，逗他玩

er shuō   nǐ yào bu yào xí fù ya   bù yào
儿说："你要不要媳妇呀？""不要。"

xiǎo liú chè gān cuì de huí dá shuō
小刘彻干脆地回答说。

gū mǔ jiù
姑母就

zhǐ zhe shēn biān shì
指着身边侍

lì de yī gè nǚ
立的一个女

hái zi shuō   yào
孩子说："要

qǔ tā zuò nǐ de
娶她做你的

qī zi ma
妻子吗？"

bù yào   xiǎo
"不要。"小

liú chè shuō
刘彻说。

长公主身边侍奉的人有一大堆，长公主一个个指过去问刘彻，不论是个子高一点儿的，还是矮一点儿的；不论是大一点儿的，还是小一点儿的，刘彻都把头摇得跟拨浪鼓似的。

到了最后，长公主指着阿娇问："要不要她？"

刘彻笑着说："好啊，如果要是娶到阿娇做媳妇，我就造一座大大的金屋子给她住，把她藏在里面。"

这在当时都是玩笑话，但是后来刘彻真的娶了阿娇做妻子，并封为皇后。人们就把这事概括为"金屋藏娇"。

jīn yù qí wài bài xù qí zhōng
金玉其外，败絮其中

xià rì li de yī tiān yuán dài
夏日里的一天，元代

de zhù míng xué zhě liú jī cóng mài gān
的著名学者刘基从卖柑

zi de tān qián lù guò jiàn nà
子的摊前路过，见那

gān zi jīn huáng yóu liàng kàn
柑子金黄油亮，看

lái fēi cháng xīn xiān jīn bu
来非常新鲜，禁不

zhù mǎi le jǐ gè bù liào
住买了几个。不料

huí jiā hòu gāng bāo kāi gān
回家后，刚剥开柑

zi pí jiù yǒu yī gǔ méi wèi er zhí chōng bí zi zài kàn kan lǐ mian de guǒ ròu yǐ jīng
子皮，就有一股霉味儿直冲鼻子。再看看里面的果肉，已经

gān de méi yǒu shuǐ fèn le wán quán xiàng pò jiù de mián xù yī yàng liú jī fēi cháng shēng qì
干得没有水分了，完全像破旧的棉絮一样。刘基非常生气，

biàn ná zhe gān zi qù zé wèn xiǎo fàn zuò shēng yi yào huò zhēn jià shí zǒng bù néng xiàng nǐ
便拿着柑子去责问小贩："做生意要货真价实，总不能像你

zhè yàng piàn rén ba
这样骗人吧！"

nà xiǎo fàn bù kè qi de shuō yào shuō piàn rén dāng jīn shì jiè shang piàn zi tài duō
那小贩不客气地说："要说骗人，当今世界上骗子太多

le wǒ gēn tā men bǐ qǐ lai bù guò shì xiǎo wū jiàn dà wū bà le
了，我跟他们比起来，不过是小巫见大巫罢了。"

shuō huà jiān yǒu yī huǒ jiāng jūn mú yàng de rén qí zhe gāo tóu jùn mǎ jīng guò xiǎo fàn
说话间，有一伙将军模样的人骑着高头骏马经过，小贩望着他们的背影说："那些佩戴兵符，坐在虎皮交椅上的武将，表面上威风凛凛，难道真正懂得兵法吗？那些头戴高帽，穿着宽大朝服的文官，难道真正掌握了治理国家的本领吗？他们哪一个不像我所卖的柑子那样金玉其外，败絮其中呢？"

小贩的这番话，刘基觉得句句在理，他哑口无言，只好怏怏而回。

后来，这件事被传为佳话，"金玉其外，败絮其中"也就被人们用来比喻外表华美，而内在却乱糟糟的事情。

影响孩子一生的 YING XIANG HAI ZI YI SHENG DE 300 个 经典成语 GE JING DIAN CHENG YU 春卷

mén tíng ruò shì

门庭若市

zhàn guó shí qī zōu jì shì qí guó zhù míng de zhèng zhì jiā yǒu yī tiān tā wèn qī
战国时期，邹忌是齐国著名的政治家。有一天，他问妻
zi wǒ yǔ chéng běi de měi nán zǐ xú gōng bǐ nǎ ge gèng yīng jùn
子："我与城北的美男子徐公比，哪个更英俊？"

qī zi shuō zì rán shì nǐ le xú gōng zěn me néng yǔ nǐ xiāng bǐ ne
妻子说："自然是你了，徐公怎么能与你相比呢？"

zōu jì yòu xiān hòu wèn le xiǎo qiè hé kè
邹忌又先后问了小妾和客
rén tā men dōu shuō zōu jì shèng guo xú gōng
人。他们都说邹忌胜过徐公。

cì rì zhèng qiǎo xú gōng dào jiā li lái
次日，正巧徐公到家里来。
zōu jì zǐ xì dǎ liang guān chá xú gōng zhī dao
邹忌仔细打量、观察徐公，知道
zì jǐ bù rú xú gōng nà tiān tā zhōng yú wù
自己不如徐公。那天他终于悟

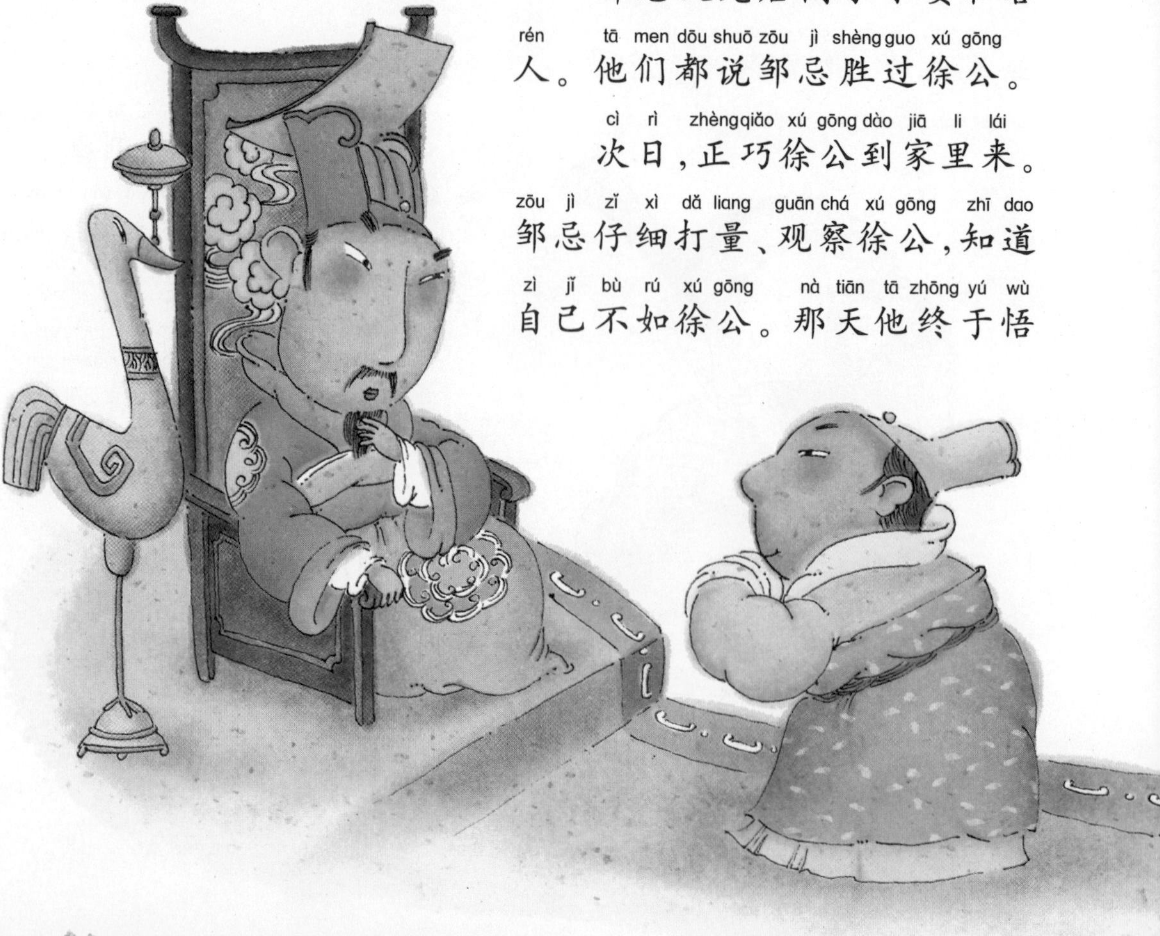

出道理：“妻子说我英俊，是偏爱我；小妾说我英俊，是惧怕我；客人说我英俊，是有求于我。”

第二天早朝时，邹忌就将家里的事和悟出来的想法说给齐威王听，最后他说：“齐国有千里江山，您的妃妾没有不偏爱大王的；朝廷里的大臣没有不惧怕大王的；全国上下甚至邻国，无人不有求于大王的。这样看来，您受到的蒙蔽要比我多得多呀！”

齐威王很受启发，于是下了一道命令：“无论任何人，敢当面说出我的缺点、错误的，赐给头赏；写信劝谏我的，赐给中赏；敢于在朋友见面时议论我的过失，并互相转告给我的，赐给下赏。”

命令一下，全国上下都争相进谏，一时间朝廷门口每天都像集市一样热闹。齐威王广开言路，使齐国渐渐强大起来。

影响孩子一生的 300 个经典成语 YING XIANG HAI ZI YI SHENG DE GE JING DIAN CHENG YU ·春卷

图书在版编目 (CIP) 数据

影响孩子一生的 300 个经典成语.春卷／禹田编.
—北京：同心出版社,2004
ISBN 978-7-80593-824-0

Ⅰ.影… Ⅱ.禹… Ⅲ.汉语－成语－故事－儿童读物
Ⅳ.H136.3-49

中国版本图书馆 CIP 数据核字 (2004) 第 025006 号

影响孩子一生的 300 个经典成语——春卷

策划	安洪民
编著	禹　田
绘画	王禹涵　黄　薇　幕　林　周阿敏
封面绘画	吴　波
责任编辑	宛振文　李树芬
项目编辑	连　莹
装帧设计	王　娟

出版	同心出版社
地址	北京市东城区朝阳门南小街 6 号楼 303
邮编	100010
电话	(本市) (010) 65255876　65251756
	(外埠) (010) 88356858　88356856
总编室	(010) 65252135
E-mail	txcbszbs@bjd.com.cn
印刷	廊坊市兰新雅彩印有限公司
经销	各地新华书店
版次	2010 年 2 月第 5 次印刷
开本	787×1092　1/16
印张	13.5
字数	69 千字
定价	19.80 元